科学新知系列

可怕的科学 HORRIBLE SCIENCE

GROOVY MOVIES
美妙的电影

[英] 马丁·奥利弗/原著 [英] 汤尼·瑞弗/绘 周翠/译

北京出版集团
北京少年儿童出版社

著作权合同登记号
图字:01-2009-4313

图书在版编目(CIP)数据

美妙的电影 /（英）奥利弗（Oliver，M.）原著；（英）瑞弗（Reeve，T.）绘；周翠译．—2 版．— 北京：北京少年儿童出版社，2010. 1
（可怕的科学·科学新知系列）
ISBN 978-7-5301-2387-4

Ⅰ. ①美…　Ⅱ. ①奥…　②瑞…　③周…　Ⅲ. ①电影—少年读物
Ⅳ. J9-49

中国版本图书馆 CIP 数据核字(2009)第 195944 号

可怕的科学·科学新知系列
美妙的电影
MEIMIAO DE DIANYING
［英］马丁·奥利弗　原著
［英］汤尼·瑞弗　绘
周　翠　译
*
北京出版集团
北京少年儿童出版社　出版
（北京北三环中路6号）
邮政编码:100120
网　址：www．bph．com．cn
北京少年儿童出版社发行
新华书店经销
三河市天润建兴印务有限公司印刷
*
787 毫米×1092 毫米　16 开本　9. 75 印张　60 千字
2010 年 7 月第 2 版　2024 年 4 月第 40 次印刷
ISBN 978-7-5301-2387-4/N·175
定价：22. 00 元
如有印装质量问题，由本社负责调换
质量监督电话：010-58572171

目录

美妙的电影

预告片

几乎人人都认为电影很美妙有趣，甚至连平时不苟言笑的爸爸妈妈也有自己喜欢的影片或电影明星，不信你可以试着去问一下你的老爸老妈，不过要做好心理准备，他们很可能会避而不答的。

100多年以前，电影就来到了人间，现在几乎每时每刻都有美妙的电影诞生。

为什么电影会如此震撼人心呢？理由如下：

▶ 成为电影明星是如此妙不可言。

▶ 你认为动画片很了不起。

▶ 电影时尚让人眼花缭乱，难以置信。

▶ 你想进入影视圈，成为一名精力旺盛的导演。

如果你想到了其中的一条理由或者全部想到了，那么你就已经开始进入状态了。你会发现并不是只有在台前才美妙有趣，在幕后有更为生动美妙的故事。自从画面活动起来，大银幕就比真人真事更迷人。

电影大师希区柯克说对了，在电影世界中你几乎找不到隐晦呆滞的片刻。因此，如果你想弄清楚这些已经深入人心的电影大亨们是如何成为超级明星的，如果你想用稀奇古怪的电影知识来考考你的朋友，那么就请你把灯光调亮，放下你的摄影机，去了解那些美妙电影的实践吧。

电影是剔除了一切无聊琐事的生活。

希区柯克

美妙的电影时刻

1535年 意大利科学家卡尔达诺在一个黑暗的房间做实验。他在墙上小洞里安了一面凸镜，透过这面凸镜，墙壁上出现了外屋景物的倒影。他把这最早的投影器命名为“暗箱”，意思是“暗室”，更确切地说是墙壁有孔的暗室。

1700年 爪哇的“影子戏”采用复杂的木偶制作最早的活动画面（更简单的形式于公元前121年已在中国出现），解说者讲故事，伴着管弦乐的声音效果。

1765年 法国人谢瓦利埃·达尔西把一块热煤块绑在绳子的底部，在一间黑暗的房子里快速地旋转绳子，来证明他的“视觉暂留”理论。他的理论是——当停止急速运动的物体时，物体的运动视像仍会持续片刻——他是对的，但遗憾的是他的理论被世人漠视长达50年。

1798年 比利时马戏团老板埃铁尼·罗伯特逊用魔术幻灯吓唬观众，在一个布置成哥特式废墟的戏院里，他用一只改进了的神奇幻灯，制造出张牙舞爪的死人骷髅悬在观众头顶的效果。

1827年 在一个夏天的清晨，尼埃普斯开始安置他的照相器材：一个装透镜的暗箱和一块涂感光化学材料的金属板，8个小时后曝光成功，拍摄出世界上第一张相片。

1872年 美国铁路大亨理兰德·斯坦福下注2.5万美元求证马在疾驰中四腿是腾空离地的。他雇了摄影师爱德华尔·慕布里奇来证明他是对的。6年后，慕布里奇发明了照相机快门，开关极其快捷，可以拍摄到马腾空的四蹄，他拍了一系列的照片，赢得了全部赌注。

1885年 乔治·伊斯曼有了一个天才的想法：把感光化学制品涂在卷纸上，于是他发明了胶卷。他又加了链轮齿便于绕卷，这些都被装进了他发明的柯达相机里。

1888年 世界上最早的活动画面是法国的路易·勒普林斯拍摄的里德大桥上正在运行的火车。勒普林斯准备去国外展览他的发明，花了两年多时间改进他的摄影机。他的神秘失踪绝不亚于好莱坞的悬疑电影，勒普林斯登上了第戎到巴黎的火车，但是从未到达巴黎。人们没有发现任何有关他的蛛丝马迹，直到今天，他的神秘失踪还是一个不解之谜。

1889年 托马斯·爱迪生的助手威廉·迪科松改进了摄影机，他和爱迪生拍摄了一个短片：一个绅士鞠躬，微笑，并脱下了他的帽子。爱迪生给这个摄影机命名为“活动电影摄影机”，并宣布该发明的荣誉和版权归他所有。

1895年 法国的卢米埃尔兄弟取得了“电影放映机”的专利，把1秒钟16个画格的摄影机和放映器结合为一体。在巴黎一家咖啡馆的地下室里，卢米埃尔兄弟放了世界上第一部影片，当时只有35人观看。但是消息很快传开

了，短短几周内，成百上千的人在外面排队看电影，兄弟俩只好准备一个更大的地下室。

1896年 维多利亚女王在巴莫拉尔宫度秋假的情景被搬上了银幕，这在英国君主中是第一个。但她的表现并不为世人所知。

1898年 电影制造者乔治·梅里爱的摄影机卡住了。当机器重新运转时，梅里爱发现他刚才正在拍摄的公共汽车变成了一辆灵车，特技效果诞生了。

1904年 最早的儿童电影展在德贝郡举行，这听起来是件好事，不幸的是这次电影展是由老师们主办的，他们希望他们的电影“自始至终完全脱离粗俗平庸”。观众们很快认定这是件不好的事情，影展取消了。

1907年　电影生产者们迁往位于美国西海岸的安静小镇好莱坞，在第一次电影浪潮中，好莱坞的人口不到5000，而到1925年就增加至13万。

1913年　意大利电影《暴君焚城记》大获成功，该片持续两个多小时，成为世界电影史上第一部长片。

1914年　小有名气的演员查理·卓别林塑造了“小流浪汉”这个角色。仅仅两年的时间，他就成为世界上身价最高的影星，他年薪高达67万美元——成为世界上最富有的小流浪汉。

1927年　美国公开放映了乔森·阿尔主演的《爵士歌手》，尽管演员只说了354个字，这部影片还是成为第一部有声影片。不到3年的工夫，所有的故事片都成了有声片，电影的无声时代悄悄地结束了。

1931年　在学院奖颁发两年后，学院的图书馆馆员玛格丽特随意地说“小雕像”长得很像她的叔叔奥斯卡，这个名字很快传开了，这个奖就被命名为奥斯卡奖。

1935年　第一部大型的彩色故事片诞生了！但是这部名为《名利场》的电影并没有大获成功，有评论者形容演员们一个个像“煮熟了的蘸着蛋黄酱的大马哈鱼……”

1951年　电视机的数量火箭似的飞升，由战前的6500台飙升到1100万台。电影生产者们已经准备向“卧室里的小魔鬼”开战了。

1952年　电影老板们揭开了宽银幕立体电影的神秘面纱，他们相信大就是最好。不幸的是他们很快就发现巨大的画面意味着巨大的花费。宽银幕立体电影走着和变形镜头式宽银幕立体声

电影一样的路子——全景超宽银幕，是与电视的第一次较量。

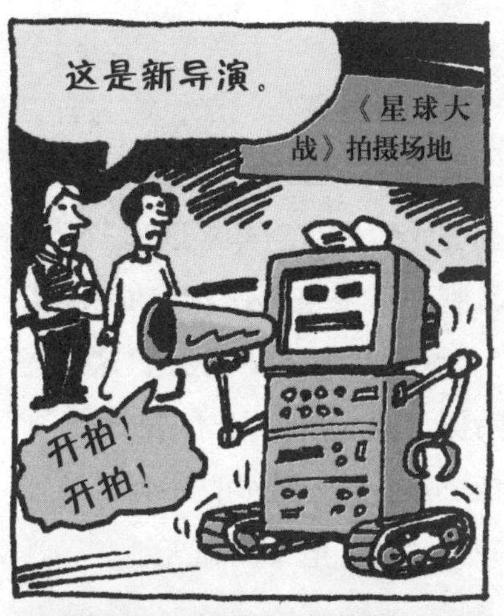

1977年 《星球大战》获得7项奥斯卡特技效果大奖，它的成功复苏了特技效果行业，在这里电脑第一次被广泛使用。

1979年 在电影院里放了50年的新闻片后，最后一期的《有声电影新闻》在英国播出。它最后的画面展示了切尔西市的花展、伦敦高空美丽的图景，还有过去半个世纪的精彩集锦。

1982年 儿童科幻片《外星人》上映，获得巨大成功，在全球赚了7亿多美元，其主角看上去酷似爱因斯坦和新生儿的混合体。

1990年 这一年，印度生产了948部长篇故事大片，创下了世界纪录。位于孟买的电影基地宝莱坞生产的故事片已经比好莱坞还要多了。

1993年 《侏罗纪公园》打破了世界票房纪录，成为有史以来最成功的影片之一。6800万美元的公众预算，远远多于实际制作这部电影所花费的800万美元,这毋庸置疑确保了这部怪物影片的成功。同时这部影片包括5分钟电脑制作的动画，从而开辟了动画电影的新天地。

1996年 《玩具总动员》是第一部完全用电脑制作的故事片，它的演员们或许只存在于虚拟的世界里面，但是他们获得的利润绝对是真实的。

美妙电影的蠢笨错误

老错误

当电影第一次出现时，观众们认为电影是个奇迹，但它并非是一夜之间就出现的奇迹，事实证明，制造电影比做化学实验更为困难。你或许会以为早期的电影发明者一帆风顺，但是他们绝顶聪明的脑袋并没有阻止他们少犯一些糟糕的错误。实际上，正是因为他们犯了如此多的错误，才使得电影的最终发明成为如此伟大的奇迹。

1. 比利时科学家约瑟夫·普拉托（1801—1883）曾经犯过一个很可怕的错误：他用望远镜观察太阳时损伤了他的双眼。眼睛的不便并没有让他受挫，他继续研究，在1830年他完善了他的最新发明，用起来非常简单方便。

拿一个画有图像的圆盘并粘上一个把柄。

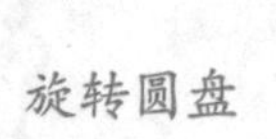

在镜子里观察旋转的圆盘，图像看起来在动。

但是，读出普拉托这项发明的名称较难——诡盘。

最后，这个傻气的比利时人意识到这个不容易发音的名字并不美妙，就把他的装置重新命名为幻盘，但是它的新鲜劲很快就过去了，销量急剧下跌。

2. 慕布里奇于1872年发明的照相机快门是个引人注目的伟大发明，但是他更为引人注目的是他旺盛的创造力。在此之前，他犯了一个可怕的错误，杀死了他妻子的男朋友。他是幸运的，电影也是幸运的：法官释放了他，他可以继续他的电影实验。

3. 卓越的发明家托马斯·爱迪生发明了电影视镜机，它是成功的，用它拍摄的电影短片在全世界的电影视镜厅里都可以看到。但是它有个设计上的缺陷——每次只能一个人观看一部影片。

4. 卢米埃尔兄弟的活动电影机解决了这个问题，它可以同时让很多观众观看，但是兄弟俩并没有意识到他们的发明有多重要，他们的父亲告诉一个影迷：“这个发明……就像人们对科学的好奇心一样暂时会被利用，除此之外没有什么商业价值。”几年以后，卢米埃尔兄弟停止了制作电影，把从电影赚取财富的机会留给了别人。

5. 在活动电影机发明后的几年之内，活动电影照亮了整个世界——在某种程度上说是这样的。当乔治·伊斯曼用感光材料做涂层制造胶片时，他忽略了这些化学材料易燃的事实。后来证明这是个令人恐惧的失误。1897年5月，在巴黎慈善集会上放映影片时，胶片起火，大火吞没了100多人，他们大多来自法国的贵族家庭。几年以后，又出现了另一个失误：这些化学材料不稳定，它们毁坏了电影胶卷。

6. 1927年，电影声音的出现带来了一系列技术上的小失误。光音机、同声记录仪、留声影音机等都是声音系统，它们给电影提供了令人印象深刻的配音，看上去声音的吸引力并不亚于电影本身。

1927年的影片《爵士歌手》用了维太风（利用唱片录放音的有声电影系统）系统，它可以在拍摄影片时同时录音，但是它录下的声音和画面经常脱节，说话声和银幕上说话的演员不一致。正是这些太多的小错误拖住了维太风系统，两年以后它就被新的电影录音方法所代替。

新过失

并不是只有这些伟大电影先驱们才犯错误，即使在电影技术日新月异发展的时候，一大批新的影人仍然还会制造一些电影失误：

1. 1898年，影片《浩劫余生》的制片人以为自己想出了一个好主意：聘请著名的舞台剧导演担任该片的导演。不幸的是，事实证明请利金·文森特做导演是个巨大的失误。他一生中从未看过电影，所以并不理解电影的理念。这个拙劣的导演以为电影只能拍摄一些静止的画面，因此无论演员们怎么动，他都会说“保持不动”。电影最后能制作出来多亏了聪明的摄影师威廉姆·佩利。在文森特做导演几小时后，威廉姆走过去对导演说，光线不足，不能继续拍摄了。演员和全体工作人员都假装收拾行囊，文森特便走了。导演一走，演员和工作人员马上各就各位开始拍摄，电影最终拍摄完毕，并引起了很大的轰动。

2. 露天电影院听起来是个不错的主意，但是在北英格兰搭建露天电影院可并不明智。1912年，赫尔花园露天影院开业了，观众们坐在露天广场的座椅上。冬天到了，影院停业，之后再未营业。

3. 在电影世界里你做得有多大，你的失误就会有多大。再没有比路易斯·梅耶大的电影大亨了。他是米高梅电影集团的大老板。1928年他看了一个不出名的导演制作的影片后，拒绝与这个年轻人签合同，因为他认为银幕上10只脚趾的动物会使孕妇受惊。这个不出名的影人就是沃尔特·迪斯尼，这个啮齿动物就是可爱的米老鼠。

4. 梅耶的制作部主任欧文·塞贝格，也曾做过两次蠢事。他对《爵士歌手》的成功不予理睬，他非常自信地预言："有声电影只是昙花一现。"几年以后，他建议他的老板对《飘》不予理睬，他认为"关于内战的电影半分钱也赚不了"。

众所周知，有声电影并没有过时，它持续了近70年，而且《飘》已经成为世界上最著名的电影之一。

5. 银幕上的明星也曾犯过一些莫名其妙的错误。例如在经典喜剧《大交易》里，观众看到劳莱和哈代在毁坏一座房子，不幸的是他们弄错了。他们向公司里的雇员要了一栋房子，并答应影片拍摄完再给他们修好。但是他们把地址搞错了，直到电影拍了一半，房子的主人回来发现自己的房子被毁，他们才意识到做了蠢事。

6. 道格拉斯·范朋克出演1922年版的《罗宾汉》，并为此惹了祸：他在纽约的里兹大饭店的楼顶宣传这部影片时，激动得情绪失控，误射了一支箭，箭在空中飞行，最后竟射中了一个裁缝。这个不幸的人还以为自己被当地的美国佬袭击了呢。明星们只得去医院看望他，并支付给他5000美元，费了很多周折才摆平了这个可怜的倒霉蛋。

7. 汤姆·谢立克准备在一部大制作的巨片中领衔主演，但他当时正在进行电视剧《夏威夷之虎》的拍摄，繁忙的拍摄计划让他抽不出时间来参加电影的拍摄，致使他失去了这次主演的机会。哈里森·福特替代他在影片《夺宝奇兵》里面饰演印第安纳·琼斯，很快哈里森就成了大牌明星。

银幕问答

你认识一些自称是电影发烧友的人吗？你老爸是不是也老感觉他对电影知道的比巴里·诺曼还多呢？与其听他们虚张声势唬人，不如来考考他们对电影知道多少！

1. 制作成本最高的影片是哪一部？

a《终结者2》

b《未来水世界》

c《泰坦尼克号》

2. 在电影《金刚》里面的巨猿高达26米，走下银幕，金刚是……

a 穿着大猩猩衣服的身高1.8米的演员

b 一个身高0.58米的模特

c 一只身高2.10米的大猩猩

3. 你能说出《爱上罗珊》和《新岳父大人》里面的明星吗？他们是……

a 朱莉娅·罗伯茨

b 史蒂芬·马丁

c 麦考利·卡尔金

4. 绝大多数的影星在演艺事业结束后都会隐退，但是有一位一直努力直到成为美国的总统，他是……

a 查理·卓别林

b 汉弗莱·鲍嘉

c 罗纳德·里根

5. 谁在1994年的电影《蝙蝠侠》中饰演蒙面的战士？

a 方·基默

b 迈克尔·基顿

c 杰克·尼科尔森

6. 好莱坞新秀阿奇博尔德·里奇到美国后改了名字（那么你知道哪个影星叫过阿奇博尔德吗），他称呼自己什么呢？

a 哈里森·福特

b 埃洛尔·弗林

c 加利·格兰特

7. 你爸爸或许会认为他可以学人猿泰山的叫声，那么他知道这个声音是怎么制作的吗，它是用什么合成的吗？

a 击石声和漱口声

b 骆驼的嘶鸣、土狼的吼叫和小提琴的声音

c 用歌唱家的声音做背景

8. 下面哪些角色在影片中出现次数最多？

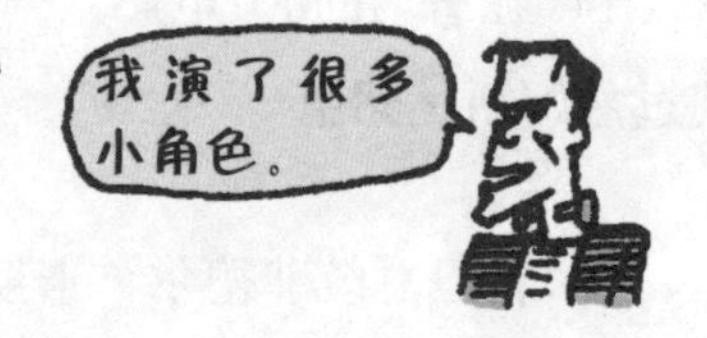

a 侦探福尔摩斯

b 罗宾汉

c 科学怪人的妖怪

9. 詹姆斯·邦德的创造者伊恩·弗莱明，曾经写了一个儿童电影剧本，它是……

a《飞天万能车》

b《窈窕奶爸》

c《101斑点狗》

10. 当西部明星克林特·伊斯特伍德被推选为治安官，不，是卡梅尔市长后，他采取的第一项措施是：

a 禁止在街上停车

b 允许影院通宵营业

c 使冰激凌店合法化

判断是非

11.米老鼠一开始的名字是老鼠莫蒂默。

12. 史蒂文·斯皮尔伯格在制作《辛德勒的名单》前没有获过奥斯卡大奖。

13. 查理·卓别林曾经参加一个卓别林模仿秀大赛，他得了第二名。

14. 在著名的007电影系列中，到2002年，有5个不同的演员饰演过詹姆斯·邦德。

15. 古巴总统菲德尔·卡斯特罗曾经在好莱坞做过临时演员。

1. c《泰坦尼克号》的预算是2亿美元，就像在沉船画面里淹没了全体演员（他们被系在船上，以防掉到船外）一样，《泰坦尼克号》的花费淹没了以前所有的纪录。

2. b 金刚的小模特穿着橡皮泡沫，还有兔毛的衣服。

3. b 是史蒂芬·马丁。顺便说一下，他的灰头发是天生的，在他十几岁的时候头发就变成了这个颜色。

4. c 罗纳德·里根（美国总统1981—1989）是四五十年代B级片的影星，在他最受欢迎的影片《君子红颜》里，他和一只猴子做搭档——为他以后的政治生涯做了一次模拟训练。

5. a 当《蝙蝠侠》1992年在北美上映时，以放映3700场打破了纪录。

6. c 加利·格兰特改了名字很有效，他很快就成为很受欢迎的超级偶像。他主演了经典喜剧《育婴奇谭》和希区柯克的《谍影疑云》，但是他从未获过奥斯卡大奖。

7. b《人猿泰山》的主角——讨人喜欢的小猩猩并没有过上幸福的退役生活，它被卖给了马戏团。

8. a 这是个最基本的常识啊。神探福尔摩斯在211部电影中出现过，罗宾汉是58部，科学怪人的妖怪是115部。

9. a 伊恩·弗莱明实际上为英国一家间谍机构工作。飞天万能车或许是英国间谍使用的玩意儿呢。

10. c 上任后克林特很快起草了条文，承认冰激凌店的合法化。后来，他宣布卡梅尔市的溜冰不合法，结果被溜冰者追杀。

11. 对。不过米奇并不是沃尔特·迪斯尼的第一个动画英雄。沃尔特的动画生涯是由幸运兔子奥斯瓦德开始的。但是，后来证明奥斯瓦德并不幸运，迪斯尼又重新开始构思创造了米奇。

12. 对。尽管斯皮尔伯格导演了《大白鲨》《外星人》和《侏罗纪公园》，但在1994年之前他没有获得任何奖项。

13. 错。卓别林确实参加了卓别林超级模仿秀大赛，但是他只获得第三名。

14. 对。他们分别是肖恩·康纳利、乔治·拉辛比、罗杰·穆尔、提莫西·多尔顿和皮尔斯·布鲁斯南。

15. 对。由临时演员成为总统再没第二人了。但是玛琳·黛德丽、克拉克·盖博和玛丽莲·梦露都是由临时演员成为大牌明星的。

美妙的明星

提到时髦的电影工作，有什么能比成为影星还美妙的呢？又有谁不喜欢自己能美名远扬，获得成千上万的影迷的衷心赞美呢？更不用说还可以日进斗金了。现在，西尔维斯特·史泰龙和阿诺德·施瓦辛格都是世界最著名的影星之一。这些大牌影星受到了非常特殊的待遇，但是也有例外的时候：一个演员如果在早期的电影中备受关注，他将很快发现在以后的影片拍摄中他的片酬并不一定是最高的。

在最初拍电影的10年里，根本就没有影星一说。那时候最重要的是摄影机，只要有任何变天的迹象，很快被保护起来的是摄影机而不是演员。

马也被认为比演员更重要，它们受到很好的待遇。毕竟你随时都可以招到演员，而要找一匹训练有素的马却难于登天！

最初，演员们对这些习以为常，他们并不希望观众知道自己的名字，因为拍电影被认为是演戏差劲儿的人做的事。电影公司的老板们很乐意没有影星——没有影星就意味着他们可以付给演员同等的工资，这可以省一大笔钱呢！

但是1910年，美国的电影制片人卡尔·莱姆勒从竞争对手那里挖走了当时最受欢迎的女演员后，情况有了变化。他构想出一场声势浩大的宣传活动，计划进展得很顺利，不到一年，那位演员弗洛伦斯·劳伦斯就成为电影明星，在她主演的影片中，她的名字总是被头条列出。

明星制很快就传遍了全世界。但是随之而来的是明星们自我意识的膨胀和耍大牌的坏毛病。在同一年，和弗洛伦斯·劳伦斯一样，德国新秀哈尼·褒顿的名字也出现在一部成功影片的片头字幕中。

很快，这位德国新星坚持在下一部影片中将她的薪水提高十分之一。制造商拒绝了她，但是很快他们就让步了，因为哈尼·褒顿扬言不答应她就要辞职。

两年后，出现了第一位超级明星。这颗幸运星是来自丹麦的女演员阿斯泰·尼尔森，她的年薪是8万美元，就在同一年，劳伦斯的年薪只有微不足道的1.3万美元，可怜的劳伦斯将发现，在她购买了一座豪宅之后，她的余款就只够支付一辆劳斯莱斯的了！

明星大追踪

除非你住在贝弗利山庄或是应邀出席影片首映式，不然单单在街上是很难遇到明星的。不过有时候明星们也会出其不意地在某个地方出现，追星人士可要时刻准备好，别放过任何蛛丝马迹。

男主角必备

墨 镜——明星们经常戴这东西，他们说这样不易被人认出，但这样也使他们在人群里格外扎眼。

假 发——男明星们肯定不会留光头，当然除了布鲁斯·威利斯和肖恩·康纳利。

皓 齿——你需要戴墨镜，要不你会被珍珠般洁白的牙齿所迷惑的。

手 机——他们可以随时和经纪人、摄制组等保持联系。

T恤衫——这种简单的穿戴可以秀出他们在健身房练出来的肌肉。无论什么理由，他们都习惯手叉腰。

古铜肤色——脱掉外衣才会露出来的本色，在沙滩上来个日光浴就会拥有它。

注意！明星们在现实生活中会比银幕上矮小很多，还有一些影星本来就很矮小，比如迈克尔·J.福克斯只有1.64米，达斯廷·霍夫曼只有1.67米。

女主角必备

服装——昂贵得绝对超乎想象，精心设计就是为了吸引摄影机的闪光灯。如果发现明星在挑选牛仔裤，那肯定是精心策划的“酷毙了”的扮相。

头发——永远都是毫无瑕疵，随时有化妆师伴随，花在头发上的时间不止两个小时。

完美的牙齿——露出好莱坞式的笑容，闪亮极了，高贵极了。

非常瘦身—持久节食和天天形体训练的结果。哦，还有偶尔去光顾一下整形医生。

注意！围绕在明星周围的并不都是影迷，他们只是明星的一些随从。如果身边没有设计师、助手、保镖——这是他们做简单旅行的必备，明星们不会外出的。

明星们的汽车

明星们是不会选择走路或者是像普通人那样搭乘公交车的，

他们有自己的一套不易被认出的旅行方式。在过去，要认出明星的车是相当简单的事情：1927年，影片《魅力女郎》成功后，女主角克拉拉·鲍为了搭配她的秀发，把汽车涂成了红颜色；而20年代的西部牛仔明星汤姆·麦克斯，在他的汽车引擎盖上装饰了马鞍和牛角喇叭。

现在的明星们不会再那么惹人注目了，而执著的狗仔队则需要擦亮眼睛时刻警惕。

奢华的加长轿车　这是明星们远行时最中意的装备。一般规律是：明星越大，车就会越长。克拉克·盖博自己定做的汽车恰好比他的竞争对手长0.3米。还有谣传说，雪儿曾拒绝出席一个典礼，除非是用全国最长的轿车来接她。

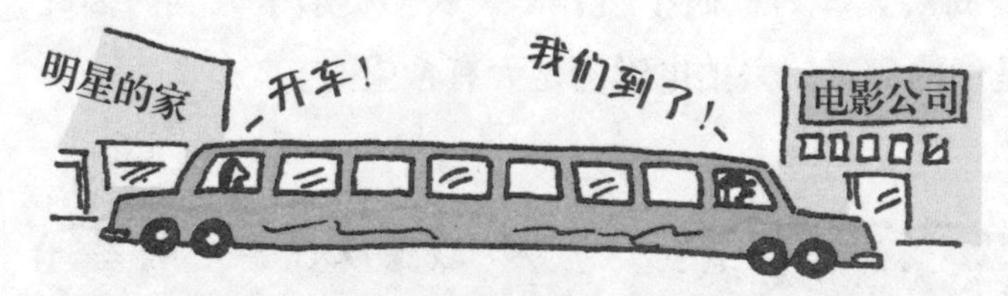

装甲车　阿诺德·施瓦辛格非同寻常的交通工具之一，就是美国军队授予他的高机动性多用途装甲车。

利尔喷气式飞机　平均花费1500万美元，拥有一架这样的飞机是真正大牌身份的象征。汤姆·克鲁斯和约翰·特拉沃塔都驾驶着自己的飞机。

明星成功的阶梯

该怎样迈出成功的第一步呢？怎样由成功的校园演出走向好莱坞的星光大道呢？如果你认为搞清做明星的规则比立刻就向星路出击更有效，那么就读读下面必不可少的绝妙电影指导手册——里面有成为超级明星的10种不同方法呢。

1. 起步早　麦考利·卡尔金走的是和童星秀兰·邓波儿、朱迪·迦兰一样的路子，他在12岁那年就主演了《小鬼当家II》。做童星常遇到的问题是，在你还没有走出校园之前，你的演艺生涯差不多也就结束了。但是也不必担心你在16岁之前没有进入演艺圈，汉弗莱·鲍嘉在他40岁之前并未涉足电影界，杰西卡·坦迪在80岁高龄凭《为戴茜小姐开车》获得奥斯卡大奖。因此，即使现在是你的父母想去拍电影也是大有希望的。

2. 和影界人士有关系　有很多著名的电影世家，像柯克·道格拉斯的儿子迈克就承其衣钵成为了一代巨星。查理·辛恩的爸爸马丁、表兄艾米里·埃斯特维都是好莱坞明星。德鲁·巴里莫尔的长辈当中就有默片时代的影星和在一系列《人猿泰山》影片中扮演重要角色的外祖母。如果你没有幸运地出生在一个演艺家庭里，为什么不试试像妮可·基德曼和辛迪·克劳馥那样抓住一个影星呢？妮可·基德曼嫁给了汤姆·克鲁斯，辛迪嫁给了理察·基尔。

3. 一定要挺住　不要因为有人对你说丧气的话就放弃努力。弗雷德·阿斯泰尔银幕考试的评语是："不会表演，不会唱歌，会跳一点舞。"在20世纪福克斯公司的一次新秀选拔赛中，他的表现是如此的失败，一直被当做在镜头面前不知该怎么做的经典案例保留。这次电影表演的彻底失败并没有让他受挫，他锲而不舍，持之以恒，终于成为19世纪五六十年代的电影偶像。

当还是个默默无名的演员时，迈克尔·凯恩并没有放弃希望——甚至在经过一次又一次无比厌烦可怕的试镜后……

4. 改变你的名字 薇诺娜·赖德和汤姆·克鲁斯都改变了他们原来的名字，从此改变了演艺命运。约翰·韦恩如果还是用原来的名字马里奥·莫里森，或许他饰演的西部硬汉就不会那么让人信赖。当然，有人忽略了这个细节，用了几乎不能正确发音的原名，同样到达了演艺事业的巅峰，这就是阿诺德·施瓦辛格。

5. 永远说是 这是一条适合任何从影人的金科玉律。在一次伴有溜冰场面的音乐片试镜过程中，全部临时演员都告诉考官他们会溜冰。6个星期以后，等他们的表演服和溜冰鞋都准备好了，才真相大白：只有4个人说了真话，剩下的56个在冰上根本就站不起来，更不用说溜了。

墨西哥演员安东尼·圭恩在试镜中做得更绝，当星探问他能否讲夏延语时，他非常肯定地点点头，并立即叽里呱啦地说了近两分钟。他用自编的夏延语刚糊弄过了关，星探又问他能否骑马，在此之前从未骑过马的他马上说："会，当然会，啊……只是暂时，实际上，自从我离开保留地我就没有骑过。"他得到了这个角色，并免费上了骑马补习课。

6. 获一次奥斯卡大奖 这保证会让你星途灿烂，尽管这或许并不是你想象的那样百分之百成功，毕竟像理查德·伯顿、彼得·塞勒斯这样的大明星是从未与奥斯卡结缘的，F．默里·亚伯拉罕得奖了又能怎样？确实如此，他在1985年因为《莫扎特》获得了奥斯卡影帝奖，此后却一直默默无闻。

7. 要幸运 令人晕菜的是，有些人歪打正着成为大明星，自己却一点没有意识到！鲍勃·霍斯金进入电影界完全是出于偶然。鲍勃·霍斯金陪一个朋友去试镜，他在剧院的酒吧里等着。星探发现了鲍勃·霍斯金，邀请他去试镜，他得到了这个角色成为明星——他的朋友却没有！

默片时代的影星弗洛伦斯·维多成名的故事听起来更像是好莱坞的情节剧。

情节1：女孩上车和她的父母一起坐在车后面，汽车开动。一个年轻英俊的导演瞥见了女孩。

情节2：这个导演一直跟踪着这一家，并试图说服女孩在他的影片里担任主角。但是这个导演遇到了麻烦，这个主意让弗洛伦斯的爸爸勃然大怒。

情节3：她的爸爸变温和，允许女儿出演《枷锁》，弗洛伦斯遂成为大明星。故事到这里并没有结束，根据纯正的好莱坞风格，应该还有一个更完美的结局。在拍片过程中，导演和他的明星相爱了，然后他们结婚了，过上了幸福的生活。

当一位电影公司的主管告诉哈里森·福特："你不适合演戏，年轻人"之后，他做起了非常成功的木匠生意。他在晚上给一个摄影棚安装一扇结构复杂的门，出了点问题，第二天不得不接着干。恰好这天大导演乔治·卢卡斯在为他的新片——就是你们很快就能想到的《星球大战》物色演员，福特得到了"韩·索罗"这个角色，开始了他超级明星的演艺生涯。

8. 先做点别的出名 约翰尼·韦斯缪勒在出演《人猿泰山》成名之前是奥运会的游泳冠军，超级名模辛迪·克劳馥进入电影界主演故事片，而音乐巨星惠特妮·休斯顿也已涉足影坛，全球超级大明星（无论在哪一方面）阿诺德·施瓦辛格在征服电影界以前，曾经7次获得环球健美先生称号。

9. 培养自己的表演能力 这可以当做是额外的选修课，去问问基努·里维斯吧，或是学学“基努表演术”，他在苏格兰是很有名气的。

基努表演术

1. 爱

2. 怒

3. 快乐

4. 恐惧

10. 要急流勇退 玛丽莲·梦露、詹姆斯·迪安和里弗·菲尼克斯都遵循着这一方法，他们都英年早逝，保住了他们永恒的超级明星地位。这种方法唯一的缺陷是你将不能享受到拍戏的乐趣了。

明星们的工作

如果在家里你老爸老妈指使你做些无聊的事情，请不要为此烦恼，并不是只有你一个人这样。即使这些大明星们也不是生来就家财万贯，家喻户晓，他们也会找些借口掩饰和做各种无聊琐屑的工作，等待着成名的那一天。看看你能否将下面的明星和他们成名前的工作联系起来：

电影知识
小测验 2

a. 肖恩 · 康纳利	1. 狮子笼清洁员
b. 吉娜 · 戴维斯	2. 法国棺材制造业的磨光工人
c. 米切尔 · 法伊弗	3. 超市里的检验保洁人员
d. 西尔维斯特 · 史泰隆	4. 热狗销售员
e. 莎朗 · 斯通	5. 纽约服装店里的活体模特

你能把我介绍给米高梅公司的那只狮子吗？

答案

a.2，b.5，c.3，d.1，e.4

小明星们

在电影界你不会持续红很长时间，电影制作商总会寻找新的儿童演员来增加电影的娱乐元素。但也有的童星在他们长大后仍然会很红。做一个童星听起来确实很美妙，想想吧，你不用打扫房间或者做些洗洗涮涮的杂事。

那么是什么能这么俘获人心呢？不幸的是，这些惊奇的因素经常转变成“厌倦”元素，一旦你主演的电影在好莱坞一鸣惊人，你可以想到你的麻烦到处可见，而且这仅仅是刚刚开始。就像大多数童星那样，在银幕上有个完美的结局并不能保证在现实生活中也有完美的归宿。

如果你并不准备把当演员作为你唯一的出路，那不妨静下来做个电影游戏，在黄砖路上掷骰子，你会发现很多的路线迂回曲折，路上还有许多不可预料的障碍物，但是充满希望的是你可以让它一路滚动，直到到达幸福的终点。

你的明星之路小游戏

开始： 祝贺你！你现在已经站在银幕前了，现在你就顺着黄砖路出发吧。

明星之路

⑬

小小富翁 钱袋子麦考利·卡尔金比历史上任何童星赚的钱都多，1992年他赚了500万美元，外加上在《小鬼当家Ⅱ：在纽约迷路》的收益分成。

跳过5个脚印到银行。

⑩

秀兰·邓波儿 20世纪30年代的小童星，有着一头可爱的鬈发和动听的歌喉。但长大后她就不那么引人注目了。

停1次，考虑一下你的未来吧。

③

热心推荐的父母 朱迪·迦兰的父母在她6岁的时候，就让她和两个姐姐同台演出。朱迪12岁的时候和米高梅公司签约。

跳过4个脚印。

⑧

现金灾难 杰克·库根还在上学的时候就和一家电影公司签了100万美元的合约，不幸的是他的妈妈在他离开电影公司之前就把这笔钱挥霍殆尽。

重新回到起点。

⑥

惊人的化妆 7岁的米基·鲁尼初登银幕后在一系列喜剧短片中任主角，化妆师用鞋油把他漂亮的金发染成了黑色。

跳过2个脚印。

⑲

说谎的导演 导演们为了得到童星们满意的表演，不惜用尽各种糟糕的小花招，当秀兰·邓波儿在面对镜头不会哭时，导演就欺骗她，说她的小宠物死掉了。

停1次擦干眼泪吧。

㉑

青春期停滞 麦考利·卡尔金十几岁的时候，已经没有适合他的角色了。

回到原处，去银行取点银子等候机会吧。

㉘

幸福结束 恭喜你到达黄砖路的最后，如果你还在游戏中，那么请接受周围的掌声吧。

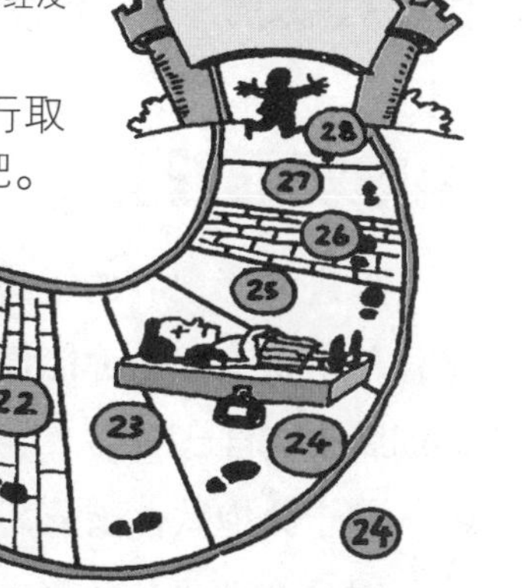

⑱

奥斯卡大赢家 1944年，美国电影艺术与科学学院授予玛格丽特·奥布朗“当年最佳童星特别奥斯卡奖”，那年她才7岁。

向前走5个脚印吧。

㉔

死亡结局 童星朱迪·迦兰特别容易激动，他们给她服药让她安静下来。不幸的是，这药让她老是睡觉，电影公司又给她服药唤醒她，后来她又不能入睡，她又得服用更多的安眠药。在她57岁的时候，她因服用过量的安眠药过世。

退出游戏。

⑯

吸毒走弯路了 德鲁·巴里莫尔不到10岁就主演了电影《ET·外星人》，大获成功。但在15岁时她开始吸毒，由此中断了几年的演艺事业——或许像她一样，你后来还会重返影坛。

停2次再玩！

如果你还迷恋这个游戏，那么你可以跟随朱迪·福斯特继续这个电影游戏。

朱迪·福斯特还是小孩子的时候，主演了电影《小鬼头与贼阿爸》，至今她仍活跃在影坛。

1989年她因主演《被告》获得奥斯卡奖，后来主演了成人恐怖片《沉默的羔羊》和1997年的科幻影片《超时空接触》。

为电影而改变

你进入影视界的渴望有多强烈呢？有些人为了走上银幕愿意做任何事情，但是你能像20世纪30年代好莱坞新秀那样愿意为电影彻底改变自己吗？

“十分抱歉，孩子，我们只好让你走了。”

对这个西班牙年轻的舞蹈演员来说，这一刻太可怕了。自从福克斯电影公司和20世纪影片公司合并以来，圈内到处流传着裁员的消息。当玛格丽特·卡西奴被叫到老板办公室时，她的心已经跳到嗓子眼儿了。

“老板，”她小声嘟囔着，“但是，老板，我知道怎么唱歌和跳舞。”

“我们已经有很多女孩子了，她们同样会的。”

“这我明白，可是老板，我是受过专业训练的，我，我……我上过戏剧学校，学过语言。”

“是，这我了解，你一直很努力，但是我也无能为力了，很抱歉现在并没有太多西班牙舞者的角色了。你的工作结束了，我们得终止合约了。”

玛格丽特一直试图说服老板，但是并不见效，她不能改变他的想法。玛格丽特强止住眼泪，走出了电影公司，离开了她钟爱的电影事业。她不知道自己是怎么回到寓所的，此刻她只是在努力想自己还能做什么。失去在电影公司的工作无疑是场灾难，她不能想象离开演艺生涯会是什么样子。她6岁就开始登台演出，除了演出她什么都不会。

她回想起早晨和老板的会面。老板说什么了？“问题是……你一直很努力，但这里并没有太多西班牙舞者的角色了。”

他说对了，她是很努力，但是如果他以为玛格丽特会因此离开并从此放弃表演，那他就错了。玛格丽特握紧了拳头，她绝不轻易言败，她将重新回到电影界，但是现在该怎么做呢？

在以后的几个星期，玛格丽特一直在绞尽脑汁想这个问题。

绝大多数人会放弃希望，但是她绝不。她明白自己有做明星的潜质，然而，如果她不回到镜头前，别人是不会知道她有表演的天赋的。她该怎样做才能改变电影公司的想法呢？

“改变……变……变！”这个词一直激荡在玛格丽特的脑海，直到她想到了一个非同寻常的主意。问题的答案就是——改变。她要改变自己！她将由一个西班牙的舞蹈演员变成一个真正的美国电影明星。

玛格丽特很投入地去听各种新的表演课，并重新学习语言，她废寝忘食地学习，有时候她会想她的努力只是浪费时间，但是最后，她的努力得到了回报。玛格丽特不放过任何一个学习说话的机会，并开始习惯了她的新口音。她的演技大大提高，说起话来也像美国人，但是她怎么看起来仍旧像西班牙人？

玛格丽特走得很远了，她自己都不想打退堂鼓了，激动人心的表演在召唤着她。每天她都去美容院，心甘情愿地忍受被电解的痛苦。她发际轮廓线上的每一根头发都被单独地剔除了，每一个细小的毛囊都被消平了。

这痛苦、缓慢的蜕变过程持续了两年多，直到最后一切结束。最后一个步骤是染掉她褐色的头发。当玛格丽特重新站到镜子面前，她简直不能相信自己的眼睛，她彻头彻尾地变了，她已经成功地改变了自己。听不到西班牙口音了，也看不出西班牙人的样子了，还有一样也改变了——她的名字。

不再被定型为西班牙舞蹈演员，玛格丽特很快找到了电影角色。几年后，在1941年，她第一次当主角，和大名鼎鼎的詹姆斯·卡格尼（1899—1986）演对手戏。就在同一年，她被20世纪福克斯电影公司重新雇用，薪水是她原来的5倍。很快她就和好莱坞大牌明星弗雷德·阿斯泰尔、金·凯利主演影片。在以后很多年她都是好莱坞炙手可热的明星，风光无限。玛格丽特·卡门·道拉斯·卡西奴的时代结束了，丽塔·海华斯的伟大电影生涯开始了。

手术整容

玛格丽特·卡西奴的自我改变让她的事业有了新的起点，然而许多明星发现要保持顶尖地位并不容易。今天，时尚的明星们经常做手术整容，不过这些明星们通常会保持沉默。但是雪儿对自己的整容却直言不讳。

整容一次需要花掉2.4万美元，雪儿已经做了13次手术。她的鼻子看上去不够挺，她通过手术让它变短变消瘦，手术还让她有粉刺疤痕的脸变得美丽无瑕，雪儿矫正了牙齿，让她看上去更精神，可以拍特写镜头。“明星们往往在下颌植入硅胶，她们的高颧骨简直就是雕塑。”一个外科整容医生如是说。

我为戏狂

为成为大明星而像雪儿或丽塔·海华斯那样做的人并不多，但是演员们一旦开始演戏，他们也会用相当疯狂的办法来进入角色。

1. 在为《最后一个莫希干人》拍摄做准备时，丹尼尔·戴·刘易斯参加了部队训练，背着步枪跑了数公里。他还参加了野地的生存体验，在那里他学会了诱捕动物和给它们剥皮。

2. 一个饰演医生的演员如此沉浸在自己的角色里，当外面的大街上发生车祸时，他马上冲出去帮助伤者，可当他冲到伤者旁边的时候，他突然想起他并不知道下一步该怎么做。

3. 很少有明星愿意像尼尔·戴蒙德在翻拍《爵士歌手》时遭受那么多痛苦。为了能演出那种沸腾到极致的疯狂，他让他的乐队为他演奏能让他疯狂的乐曲。表演成功后，导演问他乐队奏的是什么乐曲，他答道：《野兽的数字》。

4. 并不是所有的喜剧明星都赞赏一些演员滑稽的小丑扮相。在1976年的电影《马拉松人》的拍摄中，达斯廷·霍夫曼为了在下个镜头中演出上气不接下气的样子，他跑了整个街区。和他联袂主演的是英国著名演员劳伦斯·奥利弗，奥利弗并没有注意到霍夫曼在跑步，所以当霍夫曼跑完之后在他面前出现时，他只是建议道：

电影时尚

电影明星看上去好极了，这也难怪影迷们都想去模仿他们。当然这并不是件好事情，或许你会经常在衣柜深处发现一些过时的衣服。为什么不问问你老爸这件耀眼的白上衣怎么看起来像约翰·特拉沃塔在《周末夜狂热》里穿的那件，还有姐姐那件波卡洪塔斯波瓦公主的外衣？现在多拍些照片吧，或许它们早晚会用得上。

就像你们老师提问你那样，用你的电影时尚知识去挑战你们一丝不苟的老师吧，她准会惊讶得目瞪口呆！

1. 20世纪20年代，加利福尼亚的电影短片开启了新时尚，那么全城的男人们流行穿的“加利福尼亚衣服”是什么？

a 导演的全套衣服

b 软领子的衬衣

c 棒球帽

2. 玛琳·黛德丽在1930年主演了电影《摩洛哥》，她的出现曾导致了一场不可思议的流行风暴，就是因为她穿的衣服。是她穿的什么衣服导致了这场狂热的大流行？

a 一条长裤

b 一双丝袜

c 贝雷帽

3. 在“二战”期间，英国皇家空军曾用大明星梅·惠斯特的名字命名一种武器装备，众所周知这种武器拯救了许许多多空军的生命，但是这个“梅·惠斯特”是什么？

a 降落伞

b 步枪

c 可充气的救生衣

4. 在克拉克·盖博1934年主演的《一夜风流》放映后，一种男装的销量一下子下跌了40个百分点。是什么突然变得这么不受欢迎？

a 帽子

b 背心

c 背带裤子

5. 乌玛·瑟曼1994年主演的《低俗小说》引起了一种商品的抢购风潮，组约布鲁明戴尔百货公司的该产品专柜，一下子多了1000多张订单。到底影迷们想买的是什么东西呢？

a 黑色的短假发

b 一副耳环

c 一款新的指甲油

有些电影明星会一手（或一脚）造成一种新的全民大流行，你能把下面的明星和他们发起的时尚联系起来吗？

6. 艾尔维斯·普莱斯利　　a 短发

7. 路易斯·布鲁克斯　　b 皮的运动夹克

8. 马龙·白兰度　　c 紧身裤

答案

1. b 好莱坞的演员们不穿硬领子的衬衣，因为在加利福尼亚的热天气里穿着太不舒服了。

2. a 在20世纪30年代，女人们穿裤子就如同男人穿裙子那样非同寻常，但是玛琳·黛德丽穿裤子的装束，让女人的时尚为之一变，尽管在街上仍然很难找到穿裙子的男人——除非他们是苏格兰人。

3. c 还有另一个影星，人们也用他的名字命名。巴斯比·伯克利是好莱坞著名的歌舞剧导演，“巴斯比·伯克利”成为非常精美细腻的音乐旋律的代名词。

4. b 盖博暴露的性感的胸膛，让背心的销量大跌。

5. c 这种指甲油是香奈尔的“红黑”，它是一个新品种，呈暗黑色，顾客们迫不及待地在等着染她们的指甲。

他可能是摇滚歌王，可他的服装太不入流了。

6. c 摇滚明星猫王艾尔维斯·普莱斯利，他在演艺事业的开始就穿紧身裤，成千上万的人模仿他。但是在他演艺事业的最后，却无人模仿他的装束，这很难说出是为什么。

7. a 明星路易斯·布鲁克斯对她的新发型很满意，但是她对穿裤子感到很害羞，她只在家里的时候才会穿裤子。

8. b 1954年，自从马龙·白兰度穿着皮夹克出现在影片《野性的骑手》里，摩托车手从此更加狂野无羁。

聚焦明星

许多人以为演戏是轻而易举的事情，直到他们亲身去做才发现并不是这样。如果你曾经假装欣赏你老爸艾尔维斯式的表情，或者你英语老师的“莎士比亚”式的表达，这些将让你明白一个好演员的秘密。他们做了一件看上去很简单，实际上很难的事情。

明星们并不是只出场说几句台词，就跳到美丽的游泳池里徜徉。拍电影听起来很美妙，实际上很难。有时候还会让人彻底绝望。一些明星为了演戏都拼了血本：

1. 1980年约翰·赫特在出演《象人》时，化装成异常巨大丑陋的怪物，他因此经受了长达7个小时的耐力考验，等到最后拍摄结束，他都连续好多天吃不下饭。

2. 1991年《活着》的拍摄经受了更为可怕的饥饿和惊恐。影片讲述了实际生活中的一件令人作呕的事情。飞机坠毁，一群饥饿的幸存者为了存活，开始自相残杀。在拍摄中为了让演员看上去真的很饿，他们只好长时间地忍饥挨饿，为了更逼真地表现他们饥饿的痛苦，他们还得眼睁睁地看着工作人员在他们面前吃大餐。

3. 达斯廷·霍夫曼在1992年的电影《虎克船长》里，竭力避免穿那些杀人般的演出服。他的海盗服又热又重，他不得不在里面穿一件带空调的夹克——那种给太空里的宇航员设计的穿在里面的衣服。

4. 一些《星球大战》里的演员利用了类似太空时代的科

技。在又冷又湿的演出服里，演员只能靠嚼烟草来获得热量。而《帝国风暴》里的骑兵，穿着沉重的队服使他们走路都成问题，更不用说到处存在的暴风雪了。这杀人般的演出服差点儿害了人的命，有一次两个骑兵撞在了一起，其中一个被撞昏了。

5. 彼得·奥图尔1962年英勇出演了《阿拉伯的劳伦斯》，考虑到奥图尔在拍片中的遭遇，他确实该称得上是个大英雄。他并没有异于常人的特技，在拍片中他摔伤了头骨，使全身肌肉萎缩，他又被骆驼咬伤，除此之外还遭受着严刑拷打般的晒伤折磨。

6. 1967年，音乐喜剧《怪医杜利德》将在库姆小城拍摄，这个消息在村民中引起了轩然大波，冉纳福·退斯特·温彻斯特·菲尼斯先生（后来成为著名的探险家）为了保护他的家乡不被电影制造商侵占，在村子周围不同的战略要地埋下了炸弹。在冉纳福先生被抓前，已经有两枚炸弹爆炸了。剧组的全体演员和工作人员在拍摄的第一天都小心翼翼地走着，因为搜寻这些炸弹需要很多的设备。最后，冉纳福先生被罚了500美元。

7. 对大明星詹姆斯·森逊来说，1954年拍摄《海底两万里》的经历无疑是九死一生。在拍摄与大乌贼的斗争场面里，詹姆斯被拖到了水底。起初工作人员都在惊叹他逼真的溺水表演，直到有人意识到他不动了，原来他真的溺水了。幸运的是，他被及时拖到了岸边，在第一时间获救了。

糟糕的演员

有些人演戏会很糟糕，如果你有朋友曾在校园演戏剧，你或许会注意到他的一些改变。自负、傲慢、举止张扬、沾沾自喜等都是演员们失态的经典特征，这被称作“自我感觉良好症”。等到他们的名气渐渐变小，这些特征就会自动消失。想象一下，一个演员怎么可能一生的时间都在演戏呢。从最初的“自我感觉良好”，他们会逐渐进展到“乱发脾气要大牌”，最后他们就会成为“不可救药的超级明星自负狂”。到了这种地步，他们的举止就不可能再像普通人那样了。你或许还会记得你的小弟弟做的一些事情会让人多么痛苦，但是明星们因为不可救药的超级自负会遭受更多更多的痛苦。

1. 英国明星雷克斯·哈里逊在《怪医杜利德》里面扮演一个非常完美的绅士，但是走下银幕，他的举止非常恶劣，以至于演员们都称他为“恐龙雷克斯”。

2. 在和柯克·道格拉斯联袂出演电影后，伯特·兰卡斯特说：“柯克会是第一个告诉你他是一个很难相处的人，我将是第

二个。”而导演理查德·弗莱舍将是第三个。当他在1958年和柯克·道格拉斯拍摄电影《海盗》时，柯克磨磨蹭蹭的，抱怨说感觉不舒服。最后导演找出了问题所在：只有让这个可恶的演员位于每个镜头的中心，他才会感觉非常舒服。

3. 1959年，喜剧电影《热情如火》的拍摄笑话比电影本身更

为观众们津津乐道。玛丽莲·梦露说台词很费劲，她的搭档甚至已经习惯和她打赌她多少次才能通过对话。其中有一个画面中的一条对话，梦露竟然说了59遍才最终通过，而这句台词只有几个字：波旁在哪儿？

4. 奥逊·威尔斯和彼得·塞勒斯是如此不喜欢对方，以至于在1967年的影片《皇家夜总会》的拍摄中，他们拒绝在同一个画面中出现，最终他们只能选择在不同的时间用替身完成拍摄。

5. 朱莉娅·罗伯茨在影片《漂亮女人》的拍摄中表现非常糟糕，她的搭档理察·吉尔开了一个俱乐部，名字就叫“我活过了与朱莉娅共事的日子”。吉尔在一份表格里列出了与朱莉娅一起拍戏的糟糕的经历，并把它转交给朱莉娅的下一个男主角，这个表格被添加了很多很多，然后继续转交、转交……

电影丑闻

绝大多数人都会高兴自己的名字上了报纸（即使是写错了），但是有时候电影制造商和电影演员们看到宣传广告并不开心，特别是当他们拍摄的拙劣的电影或是他们糟糕的表演上了报纸头条。

娱乐记者总是想方设法挖掘最新的电影故事，为了获得这些不惜一切手段。下面列举的蠢故事和电影丑闻除了一则外，其余的都曾在报纸上出现过。请仔细阅读，并用你敏锐的视察能力找出这则没有在报纸头条出现的新闻。

羞耻的接吻（娱乐记者报道）

观众被这突如其来的接吻震住了

我从来没有想到电影会堕落到这种地步。作为一个电影的评论员，两年来银幕上极度恶心的镜头让我感到很恐怖。我必须指出，电影《鳏夫琼斯》中男女主角的接吻特写镜头让观众非常不悦。我强烈地感到在1896年上演这个镜头是非常不体面的。

惊现马桶

1928年的影片《人群》出现了马桶的特写，演员们感叹道："放松极了。"而批评家则惊呼"太让人愤怒了"。电影导演对处女作的成功十分激动地说："马桶第一次在我的电影里出现了，让所有的观众大吃一惊。"

洗手间里的抽水马桶
批评者摄

今日星闻

宣判明星

今天听审，明天入狱？克拉克·盖博今天在法庭拒绝被拍

好莱坞影帝克拉克·盖博今天出现在法庭上，引起轰动。他酒后驾车撞死了一名行人。有消息说盖博在好莱坞的舞会上喝得酩酊大醉，在回家的路上他开得太快，转弯太急，车子失控撞倒了一名妇女。对大明星盖博的宣判将在明天举行。

垃圾人被装箱

今天废物收集者被装箱

当琼·考琳斯的旧物收藏家们来到她位于洛杉矶的公寓时，他们惊讶地发现眼前有满满当当的垃圾在等着他们——他们激动极了。考琳斯小姐为自己辩解说，当她发现他们在翻弄她的垃圾，希望能找到一些纪念品或是一些可以诽谤她的材料时，她还曾给这些垃圾收集者一大包垃圾呢，当然，旧物收藏家发现那都是些废弃物。

答案

唯一一篇没有报道的故事就是有关盖博的那则。文章讲述了盖博酒后驾车肇事的真实事情，但是丑闻被压了下去，从来没有公开报道过。

盖博并没有在法庭出现，因为他已经被米高梅的老板路易·梅耶保释。梅耶是不会让他旗下的大明星去蹲监狱的，因此他告诉盖博在事情没有解决好之前先回避一下。梅耶从公司精心挑选了一个雇员，和他做了一笔不同寻常的交易，梅耶给了雇员一份好工作，还有一笔可观的养老费，这个雇员答应在法庭上说谎，并起誓是他开的车，而盖博只是在客座上。这个米高梅的雇员以酒后肇事罪被判入狱一年，这就为盖博洗脱了谋杀的罪名。

明星们最后的谢幕

当提到怎么样才能让容颜不老时，明星经常让大家吃惊，甚至自家老姐也不例外。他们的形象非常重要，因此他们不仅仅迷恋于化妆间，他们更是常常让美容院忙得不亦乐乎。明星们的一生都需要保持自己的形象，即使是在他们的最后谢幕，一些影星仍决定追随真正的好莱坞流行风格。

鲁道夫·瓦伦蒂诺并不是一个伟大的演员，但他却是20世纪20年代伟大的银幕偶像。他专门扮演粗犷又不失浪漫的大英雄，有很多角色都获得了巨大成功。他在银幕上凝视的样子既神秘又有深度，实际上这是因为他眼睛近视，公司为了维护他的形象不让他戴眼镜。公司的宣传人员认为他的原名鲁道夫·古盖里米诺不够浪漫，他们给他取了一个新名字——鲁道夫·阿尔福佐·皮埃尔·费里波特·古盖里米诺·迪·瓦伦蒂诺·迪安东华拉——简称鲁迪！

不幸的是，瓦伦蒂诺的一生并没有像他的名字一样长，他在1926年去世，那年31岁的他正处于事业巅峰。听到他去世的消息，好几个影迷自杀，而这意味着他们将错过一件更为轰动的事情。通常葬礼是悲伤的、肃穆的，但是瓦伦蒂诺走得并不安静。请看他葬礼的几个精彩场景：

- 成千上万的人排着队去公墓
- 一架低飞的飞机从空中撒花
- 意大利独裁者墨索里尼送来花圈
- 查理·卓别林给他抬着棺材
- 默片明星宝拉·娜格莉在哀悼者中失声痛哭，声称她曾和

瓦伦蒂诺秘密订婚

▶ 葬礼上放着纪念他的歌曲：《今晚有颗新星在天堂升起》

瓦伦蒂诺被火化后，他的悼念活动仍持续了很长时间。一直到1954年，每到瓦伦蒂诺逝世的纪念日，都会有一个神秘的黑衣女子到他的坟前放上一枝白玫瑰。

葬礼真相

既然你的一生都在演戏，为什么会让譬如死亡这样的事来中止你的表演？一些明星只是并不知道自己什么时候会停下来。下面有些小问题考考你自己吧：

1. 贝拉里·吕高希在1931年出演《吸血鬼》（《德拉库拉伯爵》），成为大明星。当他去世后，陪葬他的是：

a 德拉库拉的斗篷

b 德拉库拉的尖牙

c 一瓶鲜血

2. 富有传奇色彩极爱虚张声势的影星埃洛尔·弗林去世后，陪葬的是：

a 1把短剑

b 2盒雪茄

c 6箱威士忌

香烟？威士忌？
这些对你的健康
没一点好处！

1. a 或许贝拉里·吕高希（他的确出生在特兰西瓦尼亚）以为他还能从坟墓里走出来。当然他不能，但是他的影片被不断放映，复活了他的演艺生涯。

2. c 埃洛尔·弗林去世的时候只有50岁，一个大明星能有如此丰富多彩且臭名昭著的生活，确实让人叹为观止，他在早期曾做过警察。

滑稽的动物明星

如果你想进入演艺圈，又不想自己当主角，那么你怎么选择呢？为什么不先看看你家里的人是否有表演才能呢？没准儿你的哥哥适合演恐怖片呢。但三思之后，这也太离谱了——你并不想把观众给吓跑了吧？或许你家里还有小宠物等着试镜呢，忠实的看家狗费多怎么样？

它不会像你想象的那样只会乱叫。一些好莱坞的宠物还获过大奖呢——下面的日记无可挑剔地说明了这点。但是记住不要让费多把爪子放在上面，它可是从不喜欢翻弄自己的陈年旧事。

20世纪20年代电影明星的日记

07:00

我醒的时候天都亮了，昨晚我睡得不好，感觉全身都是褶皱。因此在我外出工作前，我的男仆花了好长时间来梳理我的头发。

今年假期你就可以漂漂亮亮地去任何地方玩了。

07:30

我很快就吃光了我的私人厨师给我准备的早餐。厨师的主要任务就是为我全天工作提供适当的营养。这有助于我身体健康和保持好身材——你知道我可不能让我的影迷失望呀。

07:45

在镜子面前打量自己，看上去美极了，尽管昨晚放纵自己多吃了几块自己最爱吃的巧克力，我还是感觉很不错。

08:00

司机来接我去公司。对电影来说今天肯定非常完美，我从嗅到的空气可以断定这点。司机真是个大白痴，竟然绕了很多弯路。当他转错弯的时候，我恐怕得朝他狂吼几声表示抗议了。

09:00

还好我及时赶到了公司，幸运的是，我的私人培训师已经在那里等我了，他给我一杯矿泉水让我保持平静。

11:00

电影背景很昏暗，我在闲逛的时候，导演拍了几个镜头。我继续走动，在人群里我认出了几张熟悉的脸。我很庆幸自己不是一个临时

演员，因为他们受到非人的待遇。由于我暂时不需要拍摄，我就回到了我的更衣室。

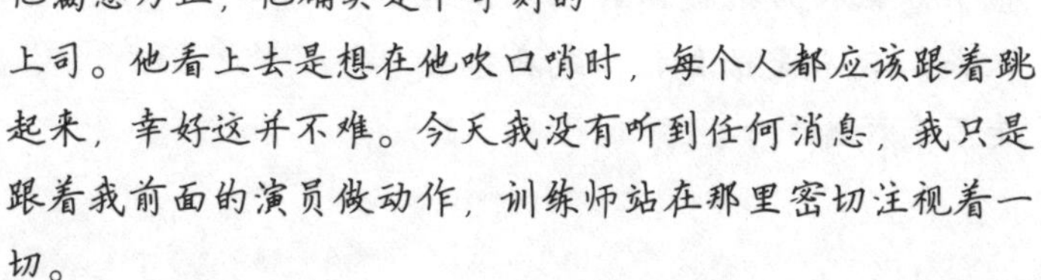

11:30

继续和导演拍镜头，直到他满意为止，他确实是个苛刻的上司。他看上去是想在他吹口哨时，每个人都应该跟着跳起来，幸好这并不难。今天我没有听到任何消息，我只是跟着我前面的演员做动作，训练师站在那里密切注视着一切。

13:15

片子杀青了！一天的拍摄结束了。人人都称赞我很了不起，对我大惊小怪的。我坐立毫不困难，表演对我来说太自然了，就像是动物的本能一样。

14:00

和以前一样，厨师做了很丰盛的饭菜。我邀请我的培训师和我一起分享，我们俩一起平静下来，吃了一顿极好的午餐。他似乎对我表演的进展很满意，还告诉我一个好消息——我已经加薪了。我现在是一周1000美元，暂时可以免于挨饿受冻了。

14:30

训练师和我讨论一些新想法。听说我的银幕强敌已经自己出书了，名字叫《给勇者的信》。他认为我们同样也可以这么做。我不是很自信，我在想他是不是我错人了。

15:30

我在更衣室里享受了几分钟的宁静，发现我的思绪已经回到了最初的那些日子。我出道的时候还是默片时代，我仍记得我参加有声电影测试的事情。我紧张极了，直到我听到技术员在嘀咕：你不能教老狗新把戏。我想我该给他们来点新的，确实我做了。尽管我是在自言自语，我仍认为我在有点恐惧的面试时刻，完成了从无声到有声的转变。

15:35

一个令人吃惊的消息打断了我的思绪：有观众预约要看我的个人表演。我很想再休息一小会儿，但我不能让我的影迷们久等，等我回来的时候我将继续写我的日记。

18:00

终于到家了！我虽然感到累极了，但今天下午是那么的美好！当我们在影院门口停住时，我就嗅到了空气中兴高采烈的气息，我都不知道自己会有这么多的影迷。我的男仆在豪华汽车里忙碌着，我看上去光亮顺滑，非常的整洁。

19:30

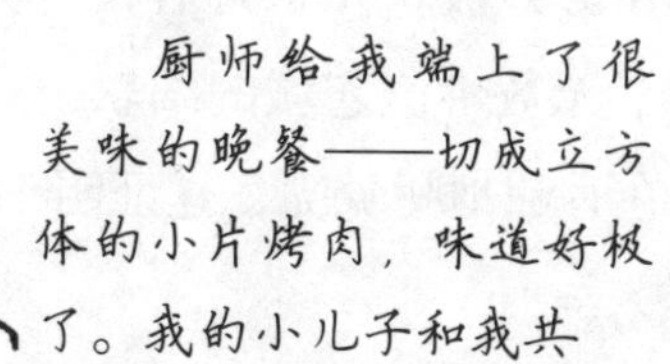

厨师给我端上了很美味的晚餐——切成立方体的小片烤肉，味道好极了。我的小儿子和我共晚餐，小家伙向我宣布：他也想进入电影圈——多么自负的小孩子啊！

20:30

和我的训练师一起愉快地散步。为防止我被绑架，他们不再允许我单独外出，这就是做名人的危险。很快我回到了我舒适的空调房间，厨师给我特别准备了消夜，男仆给我仔细梳理了全身。那些人经常说这句俗语：过着猪狗不如的日子。但对我来说，这日子感觉好极了。

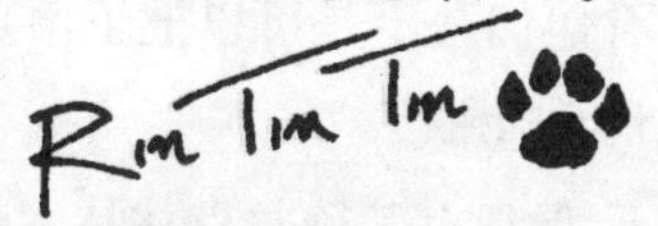

动物明星

并不是所有的动物明星都会受到像名狗林丁丁（Rin Tin Tin）那样的待遇，同样它们也没有像林丁丁那样救活整个电影公司。林丁丁所做的最伟大的贡献是在1920年，它的电影救活了濒临破产的20世纪福克斯电影公司。

当林丁丁在1932年的电影里最后一次汪汪地鞠躬致意后，电影公司招募了新的林丁丁。林丁丁的幼子非常幸运，它以高超的运动才能而不是简单的观赏性获得了公司的青睐。1936年它担纲主演了电影《警犬》，在电影里它机智勇敢地抓获了整个打劫团伙。在影片放映几个月后，一群夜贼袭击了小林丁丁主人的家，偷走了无数价值连城的细软。在小偷盗窃的整个过程中，小林丁丁都在香甜地睡觉呢，这证明小林丁丁是个多么优秀的演员！

哑巴明星小测验

成群的动物明星涌向好莱坞，它们不会说话，但它们可以做许多人类明星不能做的事情。

为什么不考考你的朋友，看看他们对好莱坞的宠物知道多少呢？看看他们是不是可以把下面这些大明星和它们在银幕上的可爱扮相联系起来：

1. 大猩猩克莱德与克林特·伊斯特伍德合作出演了1978年的卖座影片《永不低头》，那么影片中大猩猩的杀手锏是什么？

2. 屈戈尔（trigger）作为世界上最聪明的马已广为人知，它主演的电影不下100部，其中包括《飘》《原野奇侠》，但是它并不太喜欢胡闹。与人类的演员相比，它拥有什么样的明星品质呢？

3. 海豚弗利普被形容是“不会走路的笨笨”，弗利普的成功依靠的是从1963年开始上演的长篇系列电视节目里的精彩表演。那么这只水上小笨笨的拿手好戏是什么？

4. 黑猩猩奇他在1918年的《人猿泰山》里演反角，它并不是闲混的，那么它在银幕上的专长是什么呢？

5. 古惑丑这只口水狗在1990年与汤姆·汉克斯主演了《古惑丑拍档》（《福星与福将》），在拍片过程中它的哪种滑稽本领，让它的搭档哭笑不得?

请为以上问题选择相应答案：

a 在水上漂亮地翻跟头

b 它会拥抱和送信

c 当有人大叫一声“砰”，它会装死

d 不用10分钟它就能将一件干净的衬衣弄湿

e 它需要重新拍摄的次数比真人演员少

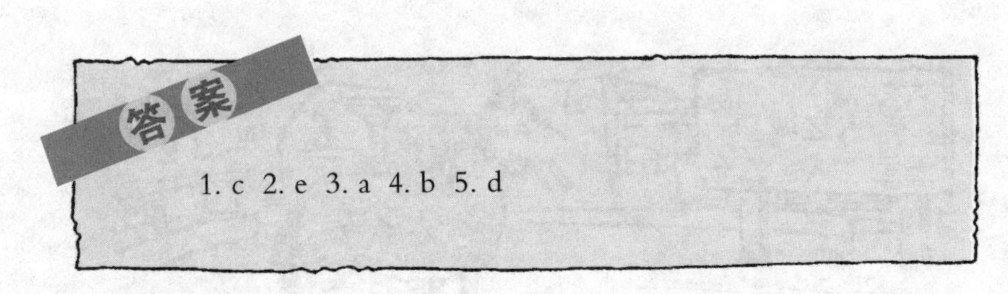

1. c 2. e 3. a 4. b 5. d

骇人的故事

对一些电影导演来说，与动物们演戏会败得很惨。与动物明星共事——即使是与屈戈尔（trigger），也并不能保证它们会乖乖地让你骑，它们会在镜头前胡闹，让你无法收场，你知道吗……

1. 如果要提起动物明星的糟糕表演，19世纪20年代的超级小狗布鲁哈特真是前无古人后无来者。它不喜欢经常嗥叫，以至于导演让它叫时它会生气好几天。后来它的情况变得更坏，只好另找一只狗来替它嗥叫 。

2. 19世纪30年代，唐纳尔德·奥康纳非常得意的是：他与一只会说话的驴子弗朗西斯合作的6部影片都大获成功。直到后来他发现弗朗西斯收到的信比他还多，从此他拒绝与这只4条腿的搭档演任何电影——这只驴子让奥康纳闹了个大笑话。

3. 1941年西部片的导演遇到了一个棘手的问题，《西部联盟》的剧本需要拍摄一群牛受惊逃跑的画面，但是这些牛拒绝跑动，用枪吓唬它们也无济于事，整个电影的拍摄也因此耽搁下来。最后，有一个演员记起曾在一个新闻片里看过德国的图卡式俯冲轰炸机，他建议可以试试这个。于是导演召集来一个空军轰炸机中队，适时的歼击奏效了！牛群开始疯跑，影片的票房收入也飙升了！

4. 一个措手不及的问题使灵犬莱西系列电影第一部的拍摄陷入了困境。这部影片是在夏天拍摄的，一只小母狗扮演忠诚的猎犬，不幸的是，没有人意识到母狗夏天会褪毛，为防止类似的事情继续发生，从那时开始只有选择公狗演莱西了。

5. 有时候，动物明星的主人会和它们一样令人不悦。在1946年《齐格飞女郎》的拍摄中，屈戈尔的马尾巴被编成了麻花辫，还有粉红色的蝴蝶结装饰它的鬃毛。后来它的主人在粉色蝴蝶结上看到了血迹，就威胁公司要诉诸法律来解决。

了不起的动画片

电影导演一想到这些动物演员就眼冒金星，他们的忍耐已经到最大限度了——当下唯一可走的路就是回到画板前。

了不起的漫画家们把一些非常有趣的影星创作在画板上，当然这些卡通画和现实中的明星比起来有许多优点。他们疯狂的恶作剧会受到银幕的限制，制造商也不用忍受他们糟糕的演技和令人头疼的坏脾气。

A-Z 快乐的卡通故事

A 漫画家们都做过别的工作。当沃尔特·迪斯尼公司开始制造动画片《小飞象》时，迪斯尼问他的员工是否有在马戏团工作的经验。让他惊奇的是，他发现他的一个导演以前是个特技三轮车夫，他的一个漫画家表演过走钢丝，而他那个温柔的打字员小姐竟然是个驯狮员。

B 《贝蒂俏女郎》。第一次出现是在1930年，但并不是我们现在看到的这个样子。最初她看上去像一只长耳朵的小狗，因为她是被设计成小狗比姆博的伴侣。两年后，这些设计理念完全改变了，新面孔的贝蒂一路高歌走向了成功，她是第一个会唱歌会说话的卡通精灵。

要是我把耳朵变成你的样子，我也能成为明星吗？

C 改编故事。迪斯尼公司的动画片《风中奇缘》和现实中流传的印第安公主的故事有很少的关系，你能指出这两个版本有什么不同吗？

1. 波瓦坦公主非常勇敢，她救了英国殖民者约翰·史密斯的命，但那时她还是一个小姑娘。

知道了。
别玩儿了，该睡觉了！

2. 波卡洪塔斯戴着波瓦坦最新式样的假发——她的头发被剃光了。

把假发扔掉！
哟嗬！

3. 她并没有爱上约翰·史密斯。

4. 约翰·史密斯回到英国。3年后，她与约翰·洛甫相爱并嫁给了他。

卡通大王——沃尔特·迪斯尼。他杰出的动画片成就包括：

▶ 制造了世界第一部有声卡通影片《蒸汽船威利》，由米老鼠担纲主演

▶ 制作了《白雪公主》，世界第一部彩色动画片

▶ 获得了很多次奥斯卡大奖

动画摄影机是迪斯尼公司的一个了不起的技术进步。如果一次性相机的使用说明让你头疼，那么这个庞然大物更会让你痛不欲生。它高达5米，花费了近7万美元，于1937年建成。这个富有传奇色彩的发明，可以让摄影机从不同的“位面”—— 任意高度和维度拍摄。它操作起来非常复杂，两个机械研究员一刻不停地忙着对图画和照片的每一个情节做数学方面的计算。

在经营公司的同时，沃尔特还创建了迪斯尼乐园，在那里，动画片里的明星们活灵活现，可爱极了。

E “哦，出什么事了？”宾尼兔这句著名的口头禅是从剧本里的那句“库克怎么了”变来的。

F 菲利克斯猫。这只黑猫在1919年出现，它的创造者帕特·沙利文非常幸运。菲利克斯猫设计制作非常之快，很快就带来无限商机，菲利克斯猫成为默片动画明星，叱咤美国影坛多年。

G 小鬼卡斯帕在1945年第一次出现。此后它在电视节目中神出鬼没，它在《冷月幽灵》中的精彩演出使它的地位得到飞升。1995年它又幽灵般出现在银幕上。

雷·哈利豪森。哈利豪森是非常天才的动漫家，他的专长是给他的漫画人物赋予鲜活的动作。这个过程非常不易，甚至能把你折磨哭了——就像一个演员在1973拍摄《辛巴达历险记》中经历的那样。

按照剧本要求，这个演员需要和哈利豪森的魔怪——印第安部落中的六臂神怪决斗。拍摄前哈利豪森把3个特技员捆绑在一起和这个演员排演决斗，他必须记住他移动的步伐，这样才能拍摄出他们决斗的影像。不幸的是决斗的次序太复杂了，这个演员根本就记不住他的步位。他心里烦躁极了，呆呆地坐在那里大哭了一场，这至少证明和动画片里的魔怪一起演戏也并不是那么简单有趣。

买保险。1939年，费雷舍制片厂拿出了18.5万美元，给正在制作动画片《巴格先生进城记》的116名动漫家买了保险。

J

《侏罗纪公园》。电影里这个大怪物的成功，源于恐龙模型和动画科技的完美融合。近1700万种色度可供动漫家们选择调配，这有助于他们为根据恐龙模型创作的动画调配出最佳色彩。

K

《小丑可可》。他是将真人动作和动画技巧完美结合的第一人，1919年，从动漫家的墨水瓶、钢笔尖到制图板上的画像和真实的动作背景相融合，小丑可可诞生了！

L

迪斯尼公司的《狮子王》。狮子辛巴不仅是丛林里的王者，也是票房收入大王。为保证狮子吼声制作成功，狮子们被请进了公司，动漫家们正好可以复制它们的动作。

M 米老鼠。在1933年，米老鼠收到80万影迷的来信，这使它成为有史以来最受欢迎的电影明星，它曾经被描述为:“美国对世界文化的唯一贡献。”

N 忍者神龟。这些背负甲壳的英雄们，与狄克·崔西（至尊神探）、蝙蝠侠、超人，有什么相同之处呢?

1. 他们都吃比萨。

2. 他们的真名都和著名的艺术家有关。

3. 他们都是从卡通画走向了银幕。

3。

O 《11只斑点狗》。它的动画片版本改编自道迪·史密斯的漫画，1961年发行。1996年又推出了新的真人动作版本，由格伦·克洛斯担纲主演那个坏女人库伊拉，但它并不是动画片版的续集——你能想象出202只斑点狗吗？

P 实用镜。这些动画制作的方式是埃米尔·雷诺在1892年发明的。

它把卡通人物绘在赛璐璐胶片上，然后通过特殊机器放映出来。这位电影先驱自己开了一家剧院，直到后来他有点儿精神错乱，把他的电影机器都扔进了塞纳河。

鸭子嘎嘎。唐老鸭的剧本被翻译成7种语言，根据发音每一个单词都拼写得很清楚。唐老鸭的配音克拉伦斯·纳什把他嘎嘎的叫声带到了全世界——动画片配音成功的一个极好的例子。

R

胭脂。动漫家们在制作1937年的经典动画片《白雪公主》时，在如何给白雪公主面部着色上煞费苦心，最后在她脸上敷了一点儿胭脂，解决了这个大难题。

S

7个小矮人。了不起的动漫家沃尔特·迪斯尼做过许多伟大的决定，其中最有名的一个是他曾经7次改变了自己的想法，如果不是他这样做，白雪公主的搭档将被称为：布来博、郝特斯、比基-维基、维皮、兆迪、比古-艾古和沃尔福。

T 火车隧道。1939年，两家大动画制造公司竞争非常激烈。迪斯尼公司地处好莱坞，而费雷舍公司则位于迈阿密。因此许多动漫家被迪斯尼吸引，以至于到处流传着这样一个说法，费雷舍公司建在直达迪斯尼公司的一条古老的火车隧道上。

U “很不幸，做动画片可是个慢活儿。”尼克·帕克和他的动漫家们花了一个多星期的时间拍摄放映时间仅10秒钟的酷狗宝贝的历险。制作主角华莱士的嘴巴特别困难，华莱士的牙齿有多种偏侧度，它露齿的宽度各不相同，这样就会有多种复杂的口形。还好，最终华莱士让尼克·帕克露出了笑容，因为它获得了两项奥斯卡大奖。

V 虚拟现实。1996年的影片《玩具总动员》是第一部完全由电脑制作的动画片。这些玩具们看起来是排在一起，实际它们只是电脑虚拟的存在。两个主角的配音也是这样，听起来他们是在一起表演，但事实并非如此。汤姆·汉克斯（木质牛仔）是在洛杉矶录音的，而给巴斯光年配音的蒂姆·艾伦是在底特律。

W 罗宾·威廉斯。这个伟大的喜剧天才，在为1993年的影片《阿拉丁》里的魔怪配音时，导演让他这个出口成章的大天才扔掉台词，通过故事即兴表演。然后他们又根据新的罗宾版台词把魔怪动画片制作得神气活现。

X 快速复制程序。这是迪斯尼另一个非常实用的伟大发明。这个程序能复制卡通人物，加快了动画片拍摄速度，如果没有它，迪斯尼公司就永远不会考虑这个骇人听闻到极致的任务：拍摄一部有101个人物的动画片。

Y “你也能成为一个漫画家。”拿出本书，在每页空白的地方画几个简单的图案。再翻过一页，画同样的图，稍做一下修改就可以了，继续这样做，直到你把这本书画完，然后你浏览全书就可以看到你自己的卡通作品了。这些图画书很受欢迎，1896年，一个很有独创性的漫画家，在漫画书上还增加了卷轴，并申请了专利。

Z 罗伯特·泽米基斯。是《谁陷害了兔子罗杰》（又译《威探闯通关》）的导演。泽米基斯异想天开：让真人演员与卡通角色复杂地融合在一起，他并没有意识到这将大大危害到男主角鲍勃·霍斯金斯的视力，在近6个月的拍摄过程中，鲍勃不得不和一些卡通影像同场表演，最后他什么都看不见了，在医生的建议下，他休息了很长时间视力才恢复过来。

好莱坞的历史

姓　名：

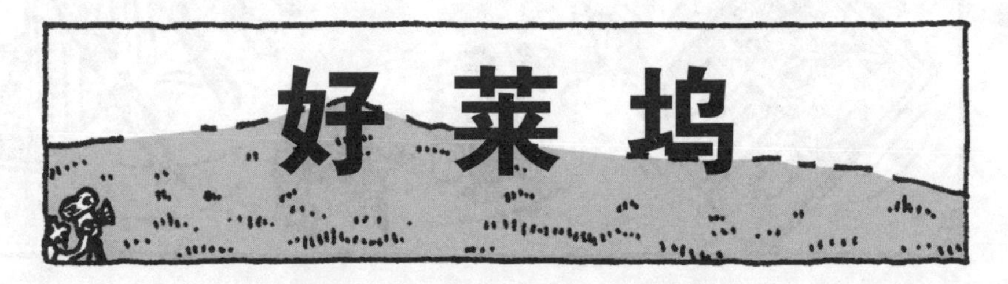

年　龄：很难说精确，好莱坞和加州其他城市一样古老。

什么时候电影制作商开始进军好莱坞？哦，我想想。最早的好莱坞电影公司是1911年建立的，但这些电影先驱到达加州比这还要早几年。

当时的好莱坞是什么样子？那时候的好莱坞完全是个移民聚居地，有橘树林和一些屋舍。

那现在呢？现在已经是洛杉矶相当喧哗、令人头疼的一部分了。

为什么电影制作人会选择好莱坞呢？答案可以用电影术语来归纳：灯光，摄影机，动作（情节）。

我没怎么听明白。他们需要灯光做什么呢？早期电影制作人需要自然光。在纽约，他们为了抓住足够的日光不得不到楼顶上去拍摄。

这有没有出现什么问题呢？当然有的，如果下雨下雪什么的，电影就拍不成了。刮疾风时，那些拍摄仪器就会来回乱晃，还有小鸟的问题。

小鸟会经常飞到仪器上吗？还有比这更糟糕的呢，你自己想象一下吧。

哦，天哪！正是。加利福尼亚一年四季都是好天气，还有广阔的外景拍摄地，这些对电影制作者来说简直太完美了。

我明白了，那他们是怎么处理摄影机的呢？托马斯·爱迪生和最大的电影公司获得了摄影机的专利，任何人想拍电影都需要付给他们一大笔钱。

但这些人并不想付这笔费用，是吧？你说得对。独立的电影制造商继续拍摄，并没有交付这笔费用。

那后来怎么了？爱迪生和他的专利公司对此事非常不满意，后来开始了捍卫专利权大战。

但这并不是真正的战争，对吧？啊，专利公司动用了相当残酷的手段来阻挠这些独立制片人们。

比如说？他们雇了一帮土匪放火烧他们的摄影棚，砸毁他们的机器。他们最喜欢用的手段是用枪在摄影机上击洞。如果子弹没有打中机器，他们就会把摄影师或是导演暴打一顿。

那他们怎样想到转移到好莱坞呢？好莱坞非常遥远僻静，他们认为这里不可能属于专利公司的势力范围。

事实是这样的吗？总的来说，是的，尽管导演西席·地察

尔遭到枪击。

他们阻止了他吗？ 并没有，西席·地察尔找来一只猎狗保卫摄影棚，继续拍摄电影。

猎狗会疯狂地咆哮吧？ 或许是这样的，不过还是奏效了，他们没有再来骚扰他。

这样就远离了“战斗”。我们说在那里又发生的战斗是哪种程度上的呢？工会战斗。

你的意思是罢工什么的？ 对，电影制作商想避开工会。好莱坞没有一个工会组织，结果导致了好莱坞劳动力的价格只有纽约工人的一半。

因此在好莱坞制作电影会便宜很多？ 你说对了，那里有非常多的临时演员，当地的一些居民觉得好玩儿，愿意免费表演。电影公司也会为这些人免费放映电影。

那些日子就是这样的，是吧？ 嗯，当然是的。

电影公司的故事

在电影发展的早期，成立自己的电影公司非常容易——因为那时候电影公司简单得要死，一点儿不像现在我们看到的耀眼的高楼大厦。早期的电影制作商会租间厂房或者是商店，把里面清空，召集几个朋友，然后把机器放在一起，在外面的大门上刷上几个名字，就这样，一个电影公司就成立了！

成立电影公司太简单了，仿佛一夜之间到处都是，由此开始了一场缓慢的革命。电影公司和工厂一样——他们做出的电影越多，赚的钱也就越多，他们资金多了，就可以雇用更多的演员，演员越多，开销也越多，这样他们就不得不制作更多的影片，影片拍得越多，赚得就越多……

有关电影制片厂

制片厂之间相继展开了竞争，竞争让他们变得更强大。用下面的问题考考你的朋友吧，看看他对制片厂知道多少：

1. 第一家制片厂是爱迪生在1893年创建的，制片厂的昵称是什么？

a 塔尔迪斯

b 电影棚

c 黑桃皇后

2. 下面的哪个设施好莱坞制片厂没有？

a 火车站

b 医院

c 私家警卫

3. 米高梅公司的广告语是：

a 最大，最亮，最好

b 明星比天上的星星还多

c 电影的未来

4. 派拉蒙公司过去是怎样检验电影的？

a 在监狱里放映

b 在学校里预映

c 放给老板的孩子们看

5. 英国兰克电影公司最初成立是为拍摄：

a 宗教影片

b 宣传片

c 野生动植物电影

6. 下面哪个著名的制作人创立了好莱坞“梦工厂”？

a 罗宾·威廉姆斯

b 乔治·卢卡斯

c 史蒂文·斯皮尔伯格

1. c 黑桃皇后是一间很小、用硬纸板搭建的小棚子，它的房顶可以打开让阳光照射进来，小棚子安装在滚轴上，可以来回移动采光。

2. a 20年代的制片厂就像一个小城市，不仅有医院、警卫处，还有学校、理发店、供暖中心，不过就是没有火车站。

3. b 米高梅公司的大明星包括克拉克·盖博、伊丽莎白·泰勒、葛丽泰·嘉宝和莱西。

4. c 一些电影制片厂并不会受到观众或是批评者反应的干扰，杰克·华纳曾说过：“今天的报纸就是明天的厕纸。”

5. a 兰克曾经是英国最大的电影制片厂，在“二战”前极其兴盛。

6. c 史蒂文·斯皮尔伯格并不是唯一一个创立电影制片厂的演员。在1919年，查理·卓别林联合玛丽·碧克馥、道格拉斯·范朋克、D．W．格里菲斯等成立了联艺影业公司。

电影巨头

电影公司的掌门人就是巨头，他们是好莱坞最有权势的人，统治着他们的电影公司，就像是个国王。他们比过去的黑帮还要强硬，即使你有张中学校长那样严肃冷漠的脸，他们也会让你柔和得像刚融化的奶冻。这个恐怖的团体有着很奇怪的嗜好，要和他们相处，需要点儿智慧。

不必惊奇——启斯东式喜剧电影的制作者麦克斯·塞尼特，在办公室里还安装了一个浴缸。沃尔特·迪斯尼通常会从动物园买一些野生动物，放在公司让漫画家观察。20世纪福克斯电影公司的老板戴利尔·扎努克在开会的时候习惯旋转马球，他还曾经要求下属给他写一页纸的《战争与和平》的大纲，要搞清楚，这可是有史以来最长的一部小说。

不要插话，不必争吵——戴利尔·扎努克非常痛恨别人打断他的长篇大论，他对员工的命令是:“我没有讲完前，请不要说是。”

不要袒护巨头们——哥伦比亚公司的创始人哈利·柯恩自夸说：“我并不腐败，我热心慈善。”米高梅公司的老板路易·梅耶曾被比做大象：“……梅耶的食物是他的员工。”

不要乱说话——哈利·柯恩在电影设备上装了接听器，因此他可以清晰地接听到私人谈话。

不要因听到什么而分心——塞缪尔·高德温（模仿高德费士改了自己的姓氏）以高德温式的妙语闻名于世，比如“包括我在外……宽银幕只会让一部糟糕的电影更糟糕……口头约定并不算真”。

要留意你就座的地方——哈利·柯恩宴会厅里的一个椅子连着电线，可以做电疗。如果一个电影导演长时间没有被哈利·柯恩邀请，他很可能就快被解雇了。

要坚持——如果有人满腹牢骚地走到路易斯·梅耶面前，这位电影巨头通常会大哭，直到你做出让步。

哇，哇！
看，他手里拿着个洋葱！

想加薪要选好机会——电影巨头们都以吝啬闻名，要想加薪一定要抓住时机，一个女演员就做得很成功。1932年，当琼·克劳馥主演的电影快完工时，琼要求老板梅耶给她加薪，她不能被替代，如果没有她电影就不能完成，很快她就得到了她所要的。

圣诞节可要当心——哈利·柯恩曾给他最喜欢的秘书一个特别的圣诞礼物：哈利将可以解雇她指出的任何一个员工。

可不包括我呀，琼斯小姐。

疯狂合同

电影巨头用铁的手腕和一张张的纸来统治他的王国。但这些可不是普通的纸，而是疯狂合同，它远比法语考试更让人惊恐，比拉丁语考试更致命。

如果一个演员很幸运地被电影公司发现，电影公司就会和她或他签约。乍一看，电影合同看上去很美妙：

电影明星合同——有利因素

1. 公司将在7年内给你提供稳定工作。

2. 公司将定期给你加薪。

3. 明星将免费使用公司所有的设施，包括舞蹈教室、语音教室和各种休闲场所。

但你仔细看就会发现一个令人不快的版本。

电影明星合同——不利因素

1. 公司保留对合同每半年一次的审查权，如果公司认定该明星没有达到要求的标准，合同将被取消。明星在任何条件下都不能单方面取消合同。7年内，明星必须始终与公司保持合同关系。

2. 公司将规定明星饰演的影片和角色，没有任何选择的余地。

3. 如果明星拒绝在一部影片中演出，本合同将顺延至抵消该影片的拍摄周期。

4. 明星可以被派遣去别的电影公司工作，但是工资仍按当前合同的价格支付。*

疯狂的条款

如果这还不够苛刻，那看看下面这些明星的个人化的疯狂条款：

1. 1930年，琼·克劳馥的合同规定了她上床休息的时间。

2. 爱莉丝·怀特1929年的合同更为苛刻，合同规定她不能结婚，而且更残酷的是她必须重返校园学习两门外语。

* 该条款是一个电影公司最厉害的赚钱招数，英格丽·褒曼被大卫·奥·塞尔兹尼克外借过8次，当1944年她出演《煤气灯下》时，按照合同她的报酬是7.5万美元，但她所在公司得到的是25.375万美元，差价如此悬殊。

3. 和米高梅公司签约，喜剧大师巴斯特·基顿的嘴角绽放了笑容，但是他是不能笑的——无论如何不能在银幕上笑。他的疯狂条款规定他不能被拍摄笑这个表情。

为合同高兴吧？
高兴极了。

4. 1927年，电影《王中王》剧组里的全体演员被要求在10年内没有导演的许可不允许接演任何角色。但比起主演该片的大明星被不允许和她丈夫离婚，他们还是相当轻松的。

5. 华纳兄弟公司不允许它旗下的一个拳击迷在观看比赛的时候喊叫，以防损害他的嗓子。道格拉斯·范朋克的合同要求他不离地面——他被不允许搭乘飞机。

6. 泰山的扮演者约翰尼·韦斯缪勒所属的公司，想了一个新奇的方法帮助约翰减肥，和他签减肥条款，在每部电影拍摄的开始，他得称体重而且必须控制在85千克以内，他超重后将被罚款5000美元到5万美元，这表示他的工资将被削减2/3，这将他折磨得像只鹦鹉，因为每次拍摄前他的体重恰好是84.9千克。

你是个大明星了，但是你不能再“大”了！

明星奴隶

签订了上面这些条款，也就不奇怪一些明星会感觉自己像个明星奴隶了。1936年女演员贝蒂·戴维斯决定反抗这不平等的合同制度，后来变成了一场没有胜诉的法庭对峙。

画面1：奔走海外

为抗议华纳公司的一连串不好的角色，女演员飞往伦敦，担纲两部影片。

画面2：告上法庭

杰克·华纳迅速回击，控告她违反合约，此案由伦敦的法庭受理。

画面3：法官惊讶

贝蒂的律师形容贝蒂的反抗就像那场反对终身奴隶制的战争，这让法官感到非常惊讶。

画面4：保护证人

贝蒂在法庭上拒绝传讯任何证人，这无疑给了对方重重的一拳。

画面5：假发旋风

杰克·华纳的律师气急败坏，竟然把假发扯下扔向法庭。

画面6：宣 判 日

案件受理的最后，法官判定合同是合法的，有约束力的，因为合同是在自愿的情况下签订的。

画面7：尾 声

法官判决：罚败诉的贝蒂3万美元。

合同杀手

华纳公司打赢了这场官司，但并没有赢得合约之战的胜利。1944年奥莉维·德·海华岚德在对华纳的案件中胜诉，成为第一个合约杀手。不到一年，先前所有的明星奴隶起来反抗，他们决定报复，和公司签订他们自己的疯狂条款：

1. 1983年，奥黛丽·赫本拍摄电影《血统》时，她不仅坚持所有的演出服要由著名的设计师纪凡希设计，还在合同中提出拍摄结束后所有衣服归她。

2. 一个演员是板球迷，因此他规定：在国际板球锦标赛期间，停止日程表上的全部拍摄，这样他就可以休假看比赛了。

3. 羞涩的影星沃伦·比蒂，只有导演保证他拍摄时穿着衣服他才会签约。而西尔维斯特·史泰龙只允许拍摄他看起来比较不错的侧面，无论是哪一边。

我发现了他看上去不错的一边。

4. 罗杰·摩尔在扮演詹姆斯·邦德时被许可“杀人”，他还被允许抽烟，他所有的合同都保证他能有充足的古巴雪茄抽。

恐怖的好莱坞

在被电影巨头盘剥或者是签订疯狂合同以后，你就不会惊讶，有些人感到好莱坞梦只是一场噩梦。这就是有些人说的恐怖的好莱坞。

在这个城市里所有的人都戴着面具。
在好莱坞，新娘把新郎抛得远远的，她们追求的是鲜花。

雷蒙德·钱德勒

格如诺·马科斯

这真是个不可思议的地方，但你有麻烦的时候，所有的人都感觉会传染似的，躲得远远的。

朱迪·迦兰

在欧洲，演员是艺术家，而在好莱坞，演员如果不工作就毫无价值。

阿作诺·库恩

好莱"巫"

惨事并不是好莱坞唯一流传的故事版本，在这个电影之都还流传着一些怪诞神秘的故事。你知道吗？

1. 在好莱坞的早期时代，两个默片影星——吉许小姐妹，得到了用300美元买块土地的机会。这两个小姐妹商量了好大一会儿，最终她们决定用这笔钱买两套时尚衣服。小姐妹放弃的这块地叫"日落地带"，现在价值几亿美元。

2. 在电影里，旧西部片中的背景看起来非常熟悉，这是因为绝大多数的影片是在同一地区拍摄的。在同一舞台上，剧作家习惯让他的人物来自不同地域，这对作者来说轻而易举，可对演员来说并不那么简单。外景地是如此受欢迎，英雄们经常发现他们被一群骑马的坏人追赶，而女主角则发现自己受到一群不知所措的坏家伙的威胁。

3. 1994年，在加利福尼亚的沙漠里发现了古埃及人的遗迹，后来考古学家发现了一些摄影器材的遗留物，这个遗迹之谜才得到解释，原来这些东西是以前拍摄黑白史诗片《十诫》时埋在沙地里面的。

好莱坞的标志是世界上最有名的标志之一，和其他令人难忘的工业标志一样，它的历史带有传奇色彩。你知道吗?

好莱坞的标志是1923年竖立的，原本的意思是好莱坞地产，是好莱坞山庄的广告，而不是电影广告。

上千只灯泡点缀着这个标志，甚至还专门雇了一个人更换坏了的灯泡，这个工人就住在离这儿不远的小棚子里。

1932年，佩格·英特怀斯特这个失意的女演员从第13个字母的顶部跳了下去自杀了。

1991年，电影《火箭人》展示了最后的4个字母被一辆爆炸的齐柏林硬式飞艇给摧毁了的情景，事实上那些字母是因为山崩而毁掉的。

“二战”后，在一次真实的冒险事件中这个标志几乎全部毁掉了，后来幸好被及时修复，1973年被宣布为历史性的界标。5年后，标志换上了价值24.3万美元的新字母，那些旧字母被砸成了小碎片，这些碎金属只卖了29.95美元。

电影魔术

神奇的魔术师们总是想方设法迷惑观众，让他们相信他们看到的是真实的。他们或许能把你古板的校长变成大明星休·格兰特——尽管这对他们来说有一定难度。魔术的惊人效果能让你相信你所看到的：一位漂亮的女演员在高空中飞舞，或者一位男演员在一瞬间变成大猛兽。做做下面的测试吧，看看你是否知道他们用了哪些特技？

1. 1942年，亨弗莱·鲍嘉和英格丽·褒曼主演《卡萨布兰卡》，鲍嘉意味深长地注视着褒曼的双眼，可走下银幕，鲍嘉只有1.64米，比英格丽·褒曼要矮0.12米，电影制作者是怎样让他们看起来一样高的呢？

a 在拍摄中，让英格丽·褒曼屈膝

b 把鲍嘉的鞋子垫高0.12米

c 用特技摄影

2. 在1991年的影片《侠盗王子罗宾汉》中，传闻说凯文·科

斯特纳用了替身。他身体的哪一部分用了替身呢？

a 他的右手

b 他的胸膛

c 他的下半身

3. 好莱坞大明星克拉克·盖博曾主演了《飘》，被誉为好莱坞影帝，“影帝”是非常性感的象征，但他的某一部位是假的，它是：

a 他的头发——他戴假发

b 他的左腿——是木头的

c 他的牙齿——他戴假牙

4. 西部片《坐着的公牛》里面的印第安人和美国骑兵都是由……饰演的？

a 墨西哥人

b 女人

c 小孩子

5. 在1987年的影片《超人Ⅳ》中，铁人的家乡是在哪里拍摄的？

a 巴黎

b 密尔顿·凯恩斯

c 纽约

6. 下面的哪个动作明星表演的时候不用特技?

a 梅尔·吉布森

b 罗杰·摩尔

c 埃洛尔·弗林

7. 1995年的卖座影片《小猪巴比》中，有多少小猪领衔主演?

a 1只

b 85只

c 48只

一个脏脚趾*，又一个脏脚趾，又一个脏脚趾……

8. 1996电影《魔幻屠龙》的明星是一只唤作“德拉古”的龙，由西·康纳利配音。德拉古拥有了吞火、深水游泳的能力。“德拉古”是:

a 迄今最大的动物模型

b 虚拟现实的创造物

c 由穿着龙袍的马扮演的

* 英文 piggy 既有小猪的意思，又有肮脏的意思。

答案

1. b 鲍嘉并不是唯一一个遇到这类问题的男星。亚伦·赖德1957年主演的影片《海豚上的男孩》，应该改名为《箱子上的赖德》，因为在表演与索菲娅·罗兰示爱时，赖德不得不站在一个箱子上。

2. c 羞涩的明星在暴露戏里经常会用替身。

3. c 在电影《飘》的拍摄中，费雯丽讨厌和盖博接吻，她抱怨盖博假牙的味道。

4. a 为确保该影片票房上不会惨败，导演用了大量的远景镜头来掩盖演员的身份。

5. b 在电影背景上，制作人经常作假。以伦敦为背景的电影实际是在巴黎拍摄的。1996年的邦德电影《黄金眼》的背景画面圣彼得堡就是在沃特福德的一个拍摄场地搭建的。

6. a 梅尔·吉布森在1985年的《冲锋飞车队》的演职员表上出现了两次，第一次是作为主角，第二次是作为特技人员。

7. c 影片制作人用了很多不同的小猪，不是因为它们演技不好，而是它们长得太快。

8. b 德拉古的拍摄增加了电脑绘画制作，在拍摄中，龙的角色是由系在绳子上的3个网球扮演的。

真实的把戏

有时候，银幕上的事件看上去像真的一样，这是因为他们确实是真的。你知道吗？

1. 1975年的影片《大白鲨》中，渔船的下沉看上去如此真实，这是因为它确实发生了。

在拍摄过程中，鲨鱼演员突然撞船，把船咬了一个大洞。渔船开始下沉，摄制组只好放弃船只和自己的摄影机。

落水的人员很快获救，但摄影机却消失在海底。他们雇了潜水员费了很大劲儿才找到。让大家震惊的是，里面的胶卷完好无损，沉船的画面被用在完成的影片中。

2. 在1961年圣经史诗剧《巴拉巴》中，特技师发现他的技术在真实现象面前黯然失色。在影片中一个非常戏剧性的时刻，银幕上出现了日食，这并不是用了电影魔术，而是在离他拍摄很近的地方真的出现了日食。导演急忙收拾器材和他的摄制组一起去拍摄这一真实的事件，并把它纳入影片中。

电影食品

电影魔术不止包括飙车或是惊人的特技。但说到食品，电影制作人想出了一些极其特别的处方。品尝这种电影食品将让你终生难忘。只要尝尝其中的一点点，你就再也不会抱怨葛兰蒂阿姨的海绵蛋糕难吃了——永远也不会抱怨。

绝妙电影魔幻杂志

风化雨处方

你需要把大量的牛奶倒在容器里，然后和水掺和在一起。在摄影机前倾倒这些混合物，银幕上就会出现哗哗的雨滴了。

生病的雪人

拿一大碗玉米面，加入滤色剂让它变白，然后再撒上大把盐，把这些抹在雪人身上，这时候雪人看起来亮晶晶的，可爱极了。

飞溅的果酱

倒出一些巧克力酱，加水稀释成柔软黏稠顺滑的液体。这个处方最适合用来拍摄果酱喷溅演员了，或者是制造叛乱后满墙鲜血的效果。

铺路比萨或是绿色污秽

自己烧一些绿豆汤，加上些切好的胡萝卜片，让它们变凉。为了更逼真地制造肮脏的满地污秽，最好在摄影机面前呕吐很多。

泥泞的覆盖物

买几包饼干，不是吃它们，而是碾碎盛在容器里，根据你的需要来加水稀释。如果需要流沙，那就少加点水。多加水就可以做成黏液。

惊人的化妆术

你是不是受够了整天面对同一张脸和同一件旧衣服？这张脸是不是看上去很苍老很疲惫？这些衣服也只适合杂物甩卖？如果你回答是，那么是得让你的老师学学好莱坞的惊人化妆术了，跟着我们学化妆技巧，来个大变样吧。

首先要做好准备，确认一下你手边是否有备用的瓶瓶罐罐。最重要的是不要害怕实验。只需给你的老师戴上眼罩，把他或她固定在椅子上，自始至终要满怀信心地和他交谈。记住——他们绝对值得这样做。

骇人的头发

你需要一只牦牛。如果一时找不到，去恶作剧商店看看。牦牛的毛发可以用来做唬人的粗胡子或者是连鬓胡子，也有出售这些仿制品的，根据脸形把这些毛发梳理成你想要的形状。

肿块肉赘

你需要一包谷子，取出几粒粘在老师的皮肤上，制造绝对完美的小肉赘或者别的肿块。为什么不在肉赘上再粘一根毛发？这样的创新看起来会更有效果喔！

指甲油

千万不要用指甲油，相反，要用鞋油，随意涂抹指甲会变得油光光，此方法同样也适应于头发和面部。

恐怖菜单

把面粉和水调和成糊状敷在脸上做各种肿瘤或肉块，并加上不同的食用色素，看起来像流血、坏疽或是淌脓。

可怕的弗兰肯斯坦

创造了科学怪人的化装艺术家读道：古埃及人习惯绑住动物的手脚把它们活埋，这个恐怖的实践导致了动物尸体的手脚伸展膨胀开来。弗兰肯斯坦的怪物就是根据被处刑的罪犯制作出来的，并化装成死刑犯的表情。想让你的受害者也有这副表情，其实很简单，你只需用剪刀把他的衣袖剪断就可以了。

干得不错，你的第一次怪物化装大功告成了。最后一个步骤，把你的老师慢慢地从椅子上解开，把他推到镜子面前……然后你旋风似的跑开！

奇异的声音

受到电影魔术愚弄的不仅仅是你的眼睛。电影声音也是用相当怪诞的方法制成的，竖起你的耳朵仔细听，然后用下面我们提供的动作来配合电影声音：

a 狂怒的地狱
b 一群小鸟
c 刹车时汽车轮胎的尖叫
d 马蹄声
e 下巴的拍击声
f 截肢声
g 踩虫子
h 瀑布的效果

1. 把西红柿压碎
2. 揉皱一张薄纸
3. 轻轻拍打前臂
4. 对着一个铁广告板喷水
5. 重击椰子壳
6. 摇晃皮手套
7. 把卷心菜锯成两半
8. 用热水瓶摩擦一块木头

答案

a—2，b—6，c—8，d—5，e—3，f—7，g—1，h—4

特别影响

电影魔术不仅仅只是在银幕上制造点特技效果。你是否注意到电影怎样影响到了你的家庭？你的老奶奶看到伤感的镜头是不是哭了？你是否留意到你老爸看到骇人的画面会躲到软垫后？自从早期电影中火车进站让影院里的无数影迷奔跑，电影对观众的生活就产生了许多特别的影响。

1. 战斗因电影延迟。1914年，墨西哥革命领导人维亚·弗朗西斯科因为在等一个摄影家来拍摄他的战斗，把攻打一座城市的时间推后了。他早先和信托电影公司签订合同，授权他们拍摄他的战斗。为确保他的军事行动能被成功拍摄，他答应摄影家，他只在方便摄影的白天才开始战斗。

2. 在20世纪30年代，进电影院是件雅事。1934年，电影明星梅·惠斯特收到了来自堪萨斯州餐饮业协会的一封感谢信，因为她珠圆玉润的造型中断了人们追求瘦身的潮流，影迷们忘记了减肥，餐饮业主大获其利！

3. 当银幕上出现煽情肉麻的镜头时，审片员*并不是唯一一个感到燥热的人。1943年的影片《丧钟为谁而鸣》里面有加利·库柏和英格丽·褒曼激情热吻的镜头，有记者测试电影院的温度，发现每次上演这个镜头时，电影院里的温度会上升好多。

4. 阿尔弗雷德·希区柯克1960年的影片《精神病人》里面有一个发生在淋浴室里的谋杀镜头。这个镜头不仅吓住了观众，也吓倒了淋浴设备的经销商，电影公映后，淋浴设备的销量暴跌。

5. 詹姆斯·邦德系列电影里的诡计，非常深刻地影响了苏联国家安全委员会。苏联间谍首脑确信电影里应用的诡计是有实际武器的，因此他们成立了4个分队去仿造007在电影里展示的装置。

6. 电影甚至让一只迷人的海鲸搬家。1993年的电影《威鲸闯天关》中凯柯奔向自由3年后，将被空运回大西洋。当影迷们得知：凯柯在墨西哥城市娱乐园狭小的水族箱里过着不自由的生活

* 电影开始出现就有了审片人，他们从事着一项非常奇怪的工作，他们需要锋利的眼光和更为锋利的剪刀。审片员最先看到影片，由他们决定哪个镜头不应该看。通常他们主要检查是否有下流或恐怖的镜头。如果他们看到了一些类似段落，他们认为会对观众思想产生不良影响，就会剪掉它们。他们却能做到看同样段落而丝毫不受影响，真是怪透了。

时，他们联合起来给凯柯捐款，耗资百万修建了一个大的水池，以此作为凯柯将来重返北大西洋故乡的第一步。

绝妙的电影制作

你认为什么是制作电影最绝妙的方法？看看你老爸的可携式摄像机的失败拍摄，你就会意识到拍电影是多困难。如果你自己不进行电影实践，你所知道的就只能是些简单的事情。你不想咨询周围的成年人是怎么把事情复杂化的？找几个朋友、选择一个合适的外景地存放摄影器材，这就是早期电影制作人所做的。

这种状况并没有持续很久，很快电影规模变大了……
现在用椅子砸他！
我需要特技演员。
我需要道具椅子。
对准镜头！
我需要休息一会儿……
DIRECTOR

然后变得更大……
多点特写！
多点薪水！
多点道具！
多点动作！
多点灯光！
多个助手！
多点吃的！

更大更大……

名望！
财富！
炫耀！
辞职！
动作！
拉！
推！
气氛！

直到演员上千，耗资上百万……

充满活力的导演们

对那些有领导欲的人来说，做导演是份很完美的差事——因此或许你的大哥会做这份工作。现在，像大导演乔治·卢卡斯和史蒂文·斯皮尔伯格都是幕后大明星，但在早期，喊“开拍”的人，自己是并不行动的。因此演职人员想出了一个描述他们的新定义——不会做任何事情的家伙。

这个称呼并没有持续很久。在20世纪20年代，导演就被称作是不做任何事情的家伙。西席·地密尔以雇用成千的演员而闻名，他还创造了独一无二的幕后人员的工作方式。

地密尔是如此关注自己的电影事业，以至于他都没有时间考虑别的无关紧要的小事情——譬如坐下或者拾东西。结果他雇佣了一个人去给他拿导演椅，雇用另一个人去拿扩音器。每个人都得非常紧张地工作——因为导演一会儿说他要坐下，一会儿又要放下扩音器，而且更恐怖的是导演手执一条赶马鞭。

活力导演

查理·卓别林是那种可以做任何事情的家伙，他是如此的活力四射，以致他不停地导演电影，他想让演职表上这样写：

导演
查理·卓别林

编剧
查理·卓别林

作曲
查理·卓别林

主演
查理·卓别林

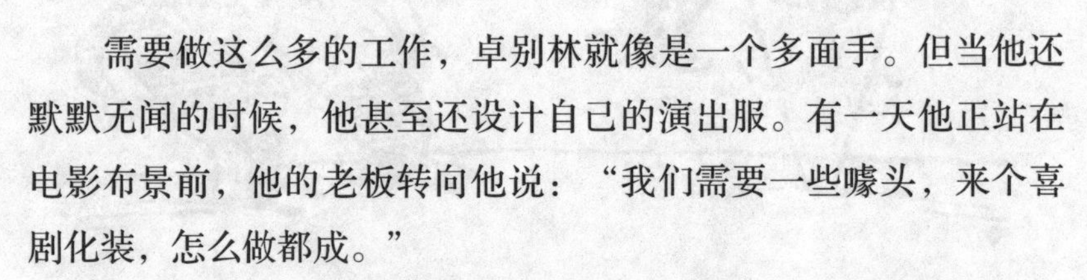

需要做这么多的工作，卓别林就像是一个多面手。但当他还默默无闻的时候，他甚至还设计自己的演出服。有一天他正站在电影布景前，他的老板转向他说：“我们需要一些噱头，来个喜剧化装，怎么做都成。”

容不得多想，卓别林跑进最近的供喜剧演员使用的化妆室，他在他们的喜剧演出服里翻找一气，他抓起了胖子阿巴克的一条裤子和他岳父的圆顶硬礼帽，接着他又穿上了切斯特·康克林的上衣和一双14码的鞋子，鞋子太大了，他不得不颠倒着穿以防止掉鞋，最后他拿起剪刀，梳整了一些毛发做胡子，他又拄着自己的拐杖，让一个小流浪汉出现在镜头前。他的疯狂喜剧改装很成功，这很快就让卓别林成为一个超级明星。

银幕明星的背后

当导演一旦成为幕后明星，他们很快就开始装扮这个角色。

扩音器——用来喊停拍，镜头1，镜头2。

扬马鞭——用来降低糟糕演员的威望。

马裤——用来证明他们驾驭一切。

仅仅在幕后是众人注目的中心，对于英国大导演阿尔弗莱德·希区柯克来说是远远不够的，他并不满足于在幕后担任主角，几乎在他导演的每一部片子

里，他都会饰演一个小角色，把他辨认出来，已经成为爱看他电影人的一个游戏了。

电影大师

即使是笼罩在了不起的奥逊·威尔斯（1915—1985）的阴影之下，希区柯克仍是电影世界里的重量级大人物。你或许对他知之甚少，但他确实是有史以来最天才的电影制作人。

了不起的奥逊·威尔斯，1941年导演并主演了有史以来最绝妙的影片《公民凯恩》。这听起来是件好事，但不幸的是，威尔斯拍摄这部影片时只有二十几岁，后来证明这并不是件好事，毕竟当你已经拍出了有史以来最好的电影，那你剩下的日子做什么呢？

这个多才多艺的电影大师继续拍摄电影，但很快他就被别的兴趣分心了，他扔掉了摄影机，开始用手绘画和变魔术，最终他拍电影的基金开始枯竭，他的预算也超了一半，这时需要动用他所有的魔术技巧，从魔术帽里拉钱出来。

小超人奥逊惊人的魔术秀

难以置信的即席发挥

1951年，当影片《奥赛罗》的预算不够支付演出服时，奥逊临时决定在海滩拍摄——那里不需要演出服。

电影元老的结局

如果所有的把戏都失效，奥逊就会在大庭广众之下请求电影制作商的宽恕。当他的一部电影经费用完时，他来到了电影巨头戴利尔·扎努克下榻的酒店，宣称不见到扎努克决不离开。扎努克一出现，奥逊就马上跪在他面前声泪俱下："这个世界上只有你才能救我了！"

面对如此多的围观者，这个受窘的电影巨头别无选择，他给了奥逊完成电影所需的银子，这才结束了这场闹剧。

恶魔导演

如果你觉得你的老师太凶恶，那就等着瞧瞧一些导演是怎么对付他们的演员吧。为了得到他们满意的演出，这些导演用尽了各种可怕的伎俩。

1. 凶恶的导演亨利·里尔曼，被那些很不幸与他合作的演员尊称为"自杀"里尔曼，其中原因显而易见。在一部早期影片中，他没有警告演员就在镜头前放开了一头狮子，当受惊的演员抱头鼠窜时，导演拍下了这一画面。

2. 在1979年的影片《外星人》中，当一个外星人从约翰·赫特的胃里破肚而出时，另一个演员脸上惊恐的表情是真实的，因为导演"忘记"告诉他们这场戏会发生什么了。

3. 阿尔弗莱德·希区柯克以电影闻名于世，但他对待演员可是非常糟糕。女演员莱比·海琳在1963年影片《群鸟》的拍摄中，几乎就在死亡的边缘上。在影片的一个段落中，希区柯克坚持让真的鸟群袭击女主角，一只饥饿的海鸥几乎要啄出海琳的一只眼睛。拍摄了一周后，她患上了神经衰弱。希区柯克给了她女儿梅兰妮·格里菲思一个躺在棺材里的漂亮的模拟娃娃。

4. 毋庸置疑，最凶恶导演的殊荣应该授予约翰·福特。1937年在拍摄影片《飓风》（又译《暴风劫》）中，他决定让演员完全照剧本假戏真做。

由于没有正式演员愿意接这部戏，导演只好请替身演员乔恩·霍尔担纲主演。在影片高潮，霍尔在和一只真的鲨鱼搏斗之前，被迫背负一袋巨大的石头从船的桅杆上俯冲下去。在监狱逃跑那个场景中，真枪实弹向他开火。他还真实地遭受鞭打直到满身血迹。当影片给审查官放映时遭受了惨无人道的删节。他们需要如此多的改动，以致完成片只能靠声音效果或化装支撑。

优柔寡断的导演

更为可怕的是优柔寡断的导演。1947年，比利·怀尔德带领他的剧组为电影《帝王圆舞曲》里面愉快的舞蹈布景。当到达加拿大国家公园的外景地时，怀尔德发现一些布景不适合，需要花时间重新布置。

镜头1：怀尔德确定自己不喜欢这些松树或是不喜欢它们的位置。

镜头2：他从加利福尼亚托运来大量树木并把它们种在他满意的位置。

镜头3：怀尔德决定用雏菊点缀片场，于是他进口了4000株菊花。

镜头4：接着他又断定自己不喜欢这些花朵的颜色，于是他又把它们全部染成了蓝色。

镜头5：他也不能确定道路的颜色，它们全部被染成赭色。

镜头6：最后，他断定附近的湖缺了一个小岛，因此他又指挥建立一个小岛，并在岛上种满鲜花。

就当他要把剧组人员逼疯了的时候，导演认为他对外景地非常满意了——这下他可再不会改变主意了。

导演灾难

当比利·怀尔德最终打定主意，他导演了绝妙的电影。但并不是所有的导演都会如此优秀，如果你正担心你可能不会像一些大导演那样优秀，那你此刻无须放弃。与小艾征伍德相比，你就会变得很自信了。

小艾征伍德现在以有史以来最差的导演闻名于世。他对自己完成的电影如此的乐观，以致他从来不会受到重拍镜头的干扰，即使是演员背串了台词或是撞倒了家具。

他最喜欢的演员包括一个吸毒者和一位重达400磅的瑞士摔跤手。在他的一部影片拍摄中，片里的一位大明星突然去世了，这位天才的导演找了一个替身主演这个角色。但事实上，这位新演员比原来的要矮一头，而且他们长得一点也不像，但这些并没有阻止小艾征伍德继续拍摄。

电影家族谱系

导演仍然是幕后明星，电影制作的整个团队也给了他们大量的支持。但是即使是同一个团队里面的电影制作者，也不能保证他们总是步调一致。

电工领班—不，我没有过错，我是总电工师，如果人们不听我的就会触电。

电工——看清楚啦，你不必是男孩也能当电工（优秀男孩与电工是同一个词——译注）。我是电工领班的助手。

传声器操作员——如果我出错了，将使你不能说话。我在现场操作麦克风。

电影摄影师——如不考虑到我，你几乎不达到目标。我为电影的个画面负责，选择合适摄影机、透镜、灯光和图。

摄影师第一助理——我给摄影师搭把手或者是给摄影师递镜头。

摄影师第二助理——我从事最有名的工作，除了安置摄影机，我还负责操作场记板。

现场管理人——我的工作和钥匙无关，我负责移动摄影机。

现场工作人员——如果我帮助你管理协调，你就会很快熟悉我的工作，我负责在现场搬设备。

场记员——你确信在最后一场戏里你打着这条领带？我负责检查确保在每个镜头里可见的细节不会改变。

外景负责人——当需要四处找景时，我就是你需要的人员，我负责寻找影片外景地。

导演第一助理——我不指导影片，但我指导布景的移动。

临时工作

你是否有令朋友大跌眼镜的特殊技能，或是在聚会时会玩些小把戏逗乐呢？如果有人告诉你，脑袋上平衡着牛奶冻，学独轮脚踏车这些都毫无用处，那么请不要听信他们的话。如果你能做些不同寻常的事情——越不同寻常越好——这样就总会有电影制作人需要你的时候。在20世纪30年代，好莱坞的电影制作人就曾需要人做这样一件离奇的工作：

职位空缺

招　聘：鞭打者

经　验：无特殊要求，但需要有鞭打经验。

年　龄：自以为是的年轻人请勿打扰。

特殊技能：准确性至关重要，有鞭打演员或是临时演员而不会伤害到他们的能力。

最终，大卫·卡什尔填补了这个空缺。他在波兰牧羊时学会了这个才能。大卫证明了自己是个神鞭手，他毫不用力地一甩手就会有爆裂的响声。在1941年的影片《通往新加坡之路》中他的表现如此精确，他从电影明星的嘴角鞭落了一枝玫瑰。

尽管他是一个神鞭手，但有时候也会出错，神鞭失灵。但这些并没有让那些临时演员们打退堂鼓。实际上，他们排队等待与大卫合作，并希望他能出点差错。在极少的场合，大卫因为失误抽到了临时演员，公司的主管很快会道歉并拿出一大笔钱作为补偿。

拍摄美妙电影

参与电影的人太多，拍摄一部电影会相当的困难。然而即使你准备好了摄影机并有个完备的摄制组，还是需要克服重重阻碍。制作一部影片就像打一场袭击战。你认为自己可以顺利完成吗？

障碍1：剧作家的难题

自己写剧本会困难，但是与人合作写剧本无异于谋杀。在20世纪40年代，两个作家被锁在屋子里合写剧本。他们彼此打扰心神不宁，以致两人都列出了对方的坏习惯。

一个作家痛恨搭档抽烟斗的坏习惯。他声称他不得不常去洗手间，就是为了躲避他抽烟。

另一个作家更不能忍受他的同伴。他抱怨他的搭档戴着帽子，经常煲电话粥，而且时常在房间里挥舞着拐杖。

奇怪的是，这两位作家并没有自相残杀而是通力合作，创造了1944年的经典电影《双重赔偿》，里面的人物难以捉摸互相谋杀。他们的灵感来自何处显而易见，只不过猜对了也没有奖金。

障碍2：资金的困难

为拍摄电影集资可比从妈妈那里讨零用钱费劲得多。电影制作商们可是用尽各种诡计，和吝啬的有钱人周旋来建立电影基金：

1. 迈克尔·摩尔为了给1990年的影片《罗杰和我》集资，使出了浑身解数。他还收集空的可乐瓶子，声称可以做押金。

2. 两个法国人通过预先售票，为他们1987年的影片《疯人日记》集资。在电影按期公映前的6个月，他们得设法卖出30万张票。

3. 一个影人通过自己的喜剧表演秀为自己的电影筹款，另一个人做得更为简单，蹲在墙角向路人乞讨。

阻碍3：选角的混乱

你集资的数目多少将决定你拥有哪类演职员，拍摄出哪个级别的电影。

A 级片：

这可是大制作，投资超过4000万美元，你将拥有大牌导演、大效果和大明星。但是要提醒你，大明星可不便宜，他们是不会一个人出现的。在一部影片拍摄中，艾迪·墨菲就有两个司机、一个私人教练、一个贴身男仆、五个助手和他的哥哥伴随着。一次，他招呼他们全部用早点，花掉了235.33美元，埋单的当然是制片人。

他们吃的是咸肉和蛋卷。

B 级片：

现在资金会紧张一些。只有选择还未大红大紫的美妙影星才会保证“物美价廉”。西尔维斯特·史泰龙第一次的演出酬劳是

你太幸运了！
我拍了一部电影，得到的全部酬劳只是恶心的T恤。

25件T恤衫，而杰克·尼科尔森的第一次银幕亮相完全是免费的。

很难为这类电影命名，或许你想制作与“在电视前面端坐的某人”相关的电影，你最好的选择就是制作一些美妙的动画片。《酷狗宝贝》在获两项奥斯卡大奖之前，就曾作为发明者的主打，在学院的年终作品展上大放光芒。

家庭电影：

借一个摄影机，邀请你身边的朋友拍电影吧。谈到效果，你需要充分发挥创造力。有个电影制作者的预算很小，于是他在电影里拿鸡尾酒摇晃器做宇宙飞船。

阻碍4：前期准备

一部电影成功与否，前期准备至关重要，但有时候往往准备得太离谱。作为1917年的电影《埃及艳后》前期准备的一部分，导演西席·地密尔花费了10万美元调查埃及金字塔的颜色，最后他被告知金字塔是沙褐色的，这个答案任何人都会免费告诉他。

阻碍5：跳水

警告：以水为基础的电影会严重损害你的健康。1995年的影片《未来水世界》陷入了1.2亿美元预算困境，1996年耗资9000万美元的影片《割喉岛》无疑进入了水中坟墓，1980年的《“泰坦尼克”号重见天日》更是一个泰坦尼克式的大失败，以致它的制作人苦笑道：如果在大西洋下沉会便宜得多。

终点站?

祝贺你，已经到达终点站了！你已经成功创造了剧本，顺利集资并为拍摄做好了充分的准备，这些来得太快，你都没来得及考虑怎么为胜利欢呼鼓掌。一旦你开始拍摄，或许你的麻烦就开始了。战争片《现代启示录》变成了一部幕后恐惧片。因为所有能出错的事情，全都出错了。

镜头1：男主角心脏病突发。

镜头2：影星马龙·白兰度没有看剧本就到拍摄现场。

镜头3：从菲律宾政府租借的直升机从未到达——它们被用来镇压革命了。

镜头4：拍摄现场被台风毁掉了。

镜头5：拍摄后的每天晚上导演都在改写剧本。

镜头6：剧组人员开始酗酒和吸毒。

出乎意料的是，这部电影在1979年摄制完成。几年以后，一部关于制作这部影片的幕后故事的影片《黑暗之心》也发行了。

残酷的删节

你已经成功地拍摄完毕，但你的美妙电影是否能逃过残酷的删节呢？

审片员们总是试图砍掉电影里的一些情节。如果你的妈妈或是老姐喜欢看接吻或是一些伤感镜头，她们就不会喜欢20世纪二三十年代的审片员。审片员总会提出各种诡异的办法阻止制作人尝试一些接吻镜头，甚至是一些顽皮的情节。于是他们便提出了一些规则：

1. 吻戏的时间限制：接吻镜头只允许持续5秒钟。
2. 影星在接吻时双脚必须着地。
3. 结婚的夫妇必须分床睡。
4. 任何违反上面规则的电影胶片都必须剪掉。
5. 呃，就是这些，再没有别的了。

审片员剪断的胶片

审片员并不是单单剪断接吻等伤感激情镜头，你认为下面列出的哪些仍旧没有逃出审片员的火眼金睛？请选择：

1. 一片斯第尔顿奶酪
2. 女人的胳膊肘

3. 米老鼠
4. 一只卡通牛的乳房
5. 汽车轮胎的紧急刹车声
6. 凯文·科斯特纳第一次主演的角色

1. 第一次残酷的删剪是1898年，一个科学家公映了一部展示细菌在一片斯第尔顿奶酪里活动的影片。

2. 这只违禁的胳膊肘是影星西尔维亚·西德尼的，暴露在1932年版的影片《蝴蝶夫人》里。当该影片在日本放映时，审片员把整个画面都定格在这只胳膊肘上。

3. 1935年，米老鼠在罗马尼亚被禁，因为当局认为它会吓着小孩子。

4. 在20世纪30年代，卡通牛克莱尔柏乐的乳房被认为很下流，有伤风化，审片员下令它以后亮相时必须穿上裙子。

5. “二战”期间的一部好莱坞电影里，汽车轮胎的刹车声被剪掉，因为这与“橡胶保护计划”相违。

6. 凯文·科斯特纳在1980年的影片《大寒》里担任主要角色，大获成功。但不幸的是，他的整个角色终结在剪辑房里，他的表演被残酷地删掉，不是因为他的表演拙劣，而是因为影片太长了。

电影剪辑

审片员并不是唯一删剪影片的人。电影剪辑听起来是件简单的工作，从影片里剪掉不用的胶片也并不很难——让影片前后衔接不露出接合的痕迹确实需要技巧。导演总会让剪辑师很忙，因为他们拍摄的胶片远比实际需要的多。有时需要好几个月来剪辑一部故事片，但有时剪辑人员也只需花费几分钟就完成工作。极少的电影剪辑会在银幕上保留一些有趣的“穿帮”镜头，如果你留心，你就会发现他们：

1. 在希区柯克1954年的恐怖片《后窗》里，男主角摔断了腿，但他似乎并不知道是哪一条，整个影片里绑着石膏的腿老是换来换去的。

2. 在1985年的电影《七宝奇谋》的最后，一个团伙说这次历险最精彩的部分是与章鱼斗争。不幸的是，与章鱼斗争的画面被

剪辑掉了，在最终放映的版本里并没有出现。

3. 印第安纳·琼斯最后一次穿越大西洋远征，日期是1938年，可是当他起程前在休息厅等候时，可以看到两个乘客正在看德文报纸，是1918年的。

电影失误

胜利或失败?

最后，你的美妙电影就准备公映了。显而易见这部电影通过了重重阻碍，并通过了残酷的审查删减，但它能否通过票房这一劫呢？没有人知道轰动票房的处方。下面的这两部电影，你认为哪一部会是成功之作，哪一部会是失败之作呢？

电影1——成功的处方？

步骤1. 邀请两大票房明星——达斯廷·霍夫曼和沃伦·贝蒂加盟。

步骤2. 加入明星编剧、导演伊莱恩·梅。

步骤3. 投入5000万美元的预算。

步骤4. 由哥伦比亚公司支持，发起一场规模巨大耗资的广告宣传。

步骤5. 在影院公映，然后静坐等待票房飙升。

电影2——失败的处方？

步骤1. 起用不知名的英国演员。

步骤2. 曾写过一些成功电视喜剧的剧作家加盟。

步骤3. 预算严重匮乏不足60万美元。

步骤4. 进行短期的广告宣传，并通过各种各样的小公司发行影片。

步骤5. 在美国有限发行时双手合十祈祷。

影片1是《伊师塔》，公映时成为最大的电影失败之作。

影片2是《四个婚礼和一个葬礼》，1994年公映，成为英国电影界有史以来最成功的作品之一。

珍奇的广告

在电影公映前，你还有一件事情需要去筹备。广告宣传对电影制作人来说至关重要。广告人绞尽脑汁想出美妙绝伦的方法吸引观众走进影院观看他们的电影。你能想出顶尖十大电影广告匪夷所思的创意吗？

排名第十的是古老的领带把戏。在第一次世界大战以前，影院老板给在电影院外排队的观众发放颜色非常可怕的大领带，并许诺说如果有观众足够勇敢能在看电影时戴这条领带，看电影将免费。

排名第九的这则广告是为1988年的影片《芭贝特的盛宴》做的宣传。影片的最后一幕是一顿令人垂涎三尺的大餐，当电影在纽约公映时，影迷们不仅能在银幕上大饱眼福，他们还可以在附近的餐馆品尝到一模一样的大餐。

稳坐第八的是有点残忍的胡须绝招。长胡子可并不是什么惊天动地的大事，可对银幕偶像鲁道夫·瓦伦蒂诺来说则不然，他不愿剃胡子，在影迷和理发师之间引起了一场轩然大波。几个月后他公开举行了剃胡子仪式。

飘然而至排名第七的是广告流行语，明星有多大，排场就有多大。1993年，阿诺德·施瓦辛格高达75英尺的优雅画像在纽约时代广场的上空高高飘扬，这是在为他主演的一部新片做广告。

紧跟而至的第六是超级标语。1954年20世纪福克斯公司发行了史诗片《埃及人》，该公司广告部同仁并没有在数银子，他们在计算别的东西。该电影的超级标语宣称：这部影片包括10 965座金字塔，5337头跳舞的公牛，100万株飘荡的芦苇和802头神圣的公牛。

凶狠的导演阿尔弗雷德·希区柯克，进入十大排名之第五，他的绝招是合法地强制性执行。当他的影片《精神病人》1960年公映时，规定影片只要开始放映，就禁止任何人入场。

稳居第四的是劳伦斯的谎言。制片人卡尔·莱姆勒想把年轻的女演员弗洛伦斯·劳伦斯捧成明星，他决定撒谎。1910年，他在报纸上登了一条假消息，说劳伦斯在车祸中意外丧生。一旦观众的胃口被吊起来，他马上就在同一家报纸上刊登广告披露劳伦斯仍然活着，并将在新影片中亮相。

排名第三的精彩绝技，广告商的花费要比契约上多得多。广告商雇用了一个失业者为1932年的影片《我杀的人》做宣传，他将被埋在坟墓里24小时。白天这个人被埋进了坟墓，不巧的是晚上刮起飓风毁掉了坟墓。惊慌失措的广告商不得不雇用30个人在坟地里挖掘找人，最终找到了这个人，但他很快就向广告商索要加班费。

第二名是精心策划两年之久的广告诡计。在公众广泛参与的选演员活动中，2000名佳丽中的优胜者将担纲主演电影《飘》。最终费雯丽获得了这个角色，但这也是个艰难的选择，因为在她被选中之前电影已经开拍了。

荣登榜首的是长期酝酿的电影宣传绝招。1927年5月18日，电影明星诺玛·泰玛奇路过葛鲁曼正在修建的中国大戏院，他不小心踩进了院外未干的水泥地上。

这块水泥地为后代保存了诺玛的脚印。这次意外引发的广告绝招直到今天还被广泛使用。

被遗忘的影片

有一些电影即使是最绝妙的广告也爱莫能助。一些顶尖明星曾主演过这些影片，或许他们自己也忘记了。

你知道哪些大明星曾出演下列失败之作吗？

1. 《地球姑娘好相处》
2. 《染掉你的假发》
3. 《哈德森之鹰》
4. 《油脂2》

5.《大力神在纽约》

a. 布鲁斯·威利斯

b. 米切尔·法伊弗

c. 阿诺德·施瓦辛格

d. 吉姆·凯利

e. 克林特·伊斯特伍德

1. d 吉姆·凯利早期在这部影片中出演一个浑身是毛皮的外星人。

2. e 克林特·伊斯特伍德在演这部西部歌剧之前，你从来没有看过或是听说过他。

3. a 有史以来最惨重的失败。耗资6500万美元，收回不到900万美元。

4. b 这也是为什么没出现《油脂3》的理由。

5. c 施瓦辛格穿着宽外袍、便鞋出现在现代的纽约。

欣赏美妙电影

看电影是件很美妙的事情，即使你的老爸老妈也常常乐此不疲。当然电影发展到今天发生了很大变化，现在电影是声色俱佳，电影院也是如此。

如果你的父母总是喋喋不休以前的事情如何如何，为什么不看看他们究竟对早期的电影知道多少呢？把灯光调暗，递给他们爆米花，看看他们如何选择：

1. 1898年，当活动图画的伟大奇迹在世界流行开来，看电影的最好地方是哪里？

a. 音乐厅

b. 商店

c. 火车站附近的拱门

2. 美国的早期影院叫“镍币剧场”，你知道为什么吗？

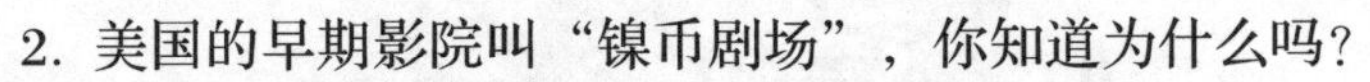

a. 他们是用镍币建成的

b. 他们是以公司老板的名字命名的，尼克先生和奥登先生

c. 进入影院需要一个镍币

3. 1905年左右，一家电影公司特地将摄影机捆绑在火车的前部，拍摄铁路上的旅行。为了增添旅行效果，黑尔斯·图尔斯设计了一个奇妙的外形，它是……

a. 图尔斯的电影院设计成铁路客车的样子

b. 图尔斯电影院的门票印上穿着铁路制服的服务员图案

c. 电影院工作人员在放映前会鸣汽笛和挥动旗子

4. 1927年，有史以来最大的电影院对外开放。它耗资1200万美元，但如果满座则需要多少影迷？

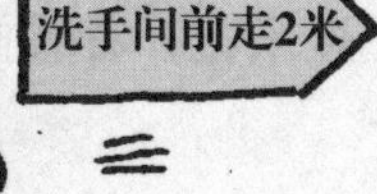

a. 4000人

b. 6000人

c. 10 000人

5. 1933年，理查德·梅·霍林斯赫金先生取得了一种奇妙的电影屋的专利。这些电影院很快就被昵称为“可驾车进入的剧场”、“牛牧场”、“星际下的商场”，你知道为什么吗？

a. 它们建在农场上

b. 它们有可伸缩的房顶

c. 它们有巨大的银幕，观众可以开车去看

1. 全部都是。影迷们不用寻找电影院，在其中的任何地方都能看到电影。电影是个新事物，电影院还没建成，所以建筑物或是火车站的圆拱墙都被用来放电影。

2. c 与之对应，英国叫硬币娱乐场，同一个理由：入场费是一便士硬币。即使在当时这也并不昂贵，因为影迷们收入并不多，硬币娱乐场狭小阴暗，里面有普通的厨房用椅。

3. a 图尔斯的电影院有一条中心走廊，两边安放着铁路客车座椅。

4. b 塞缪尔·莱昂内尔·罗森培尔称自己是最伟大的放映人。他修建了好几座电影院，而且是一座比一座大，出于典型的虚荣心，他用自己的昵称“罗西”命名其中最大的一座。

5. c 驱车影院如此流行，以致他们的发明者都不能执行专利权。一家美国影院的老板确信可以开飞机进他的影院，并宣称可以容纳25架飞机。纽约人不用驱车就可以体验到乘车观影的趣味。在一家影院，观众坐在50年代的老式汽车里，在印着明星图片的屋顶下观看B 级片和50年代的新闻片。

电影宫

或许你会以为彩色电视的出现，会让影院的日子不好过，但这些担忧很快就被时髦的电影院证明是多余的。看到电影宫这样的一个名字，你就不必费尽脑筋去猜测它们是什么样子的了。成群的电影爱好者蜂拥而至去看充满异域情调的小道具、神话般的布景，还有美妙的戏服，参观电影宫并不像是看一部影片，而是像身临其境。

如果20世纪20年代的人问你是否迷恋中国这个国家，他们不会问你中国的饮食，他们将邀请你去电影院。一些电影宫就建成中国寺庙宝塔的样子，但如果这些不合你口味，你可以尝试一下意大利或西班牙风格的城堡。

如果建筑能够登峰造极，对电影宫的描述也是如此。一扫过去的“寒冷”、“穿风”、“肮脏杂乱”的印象，电影宫摇身一变，成为“置身其中如梦想花园般的宽敞舒适”，是“电影的圣殿”。

进电影宫对铁杆影迷来说只是一张门票。但他们参观一家影院并不是只为看一场电影。实际上，在电影宫还有很多事情可以做，影迷们常常会忘掉他们为什么来这里。

可笑的规则

总有一些人想破坏别人的乐趣。通常，他们会是老师，不过在20世纪20年代，即使是老师也愿意进电影院。可“文明人”认为电影令人愉快得过火了，因此他们构想出一些可笑的规则来规范人们看电影。

电影宫以提供最好的电影娱乐为荣

免费拨打咨询电话

观众可以在家拨打电影宫的免费电话进行咨询。

优质足疗服务

观众在电影院可以得到专门的足病医师提供的最好的足疗服务。

火爆机会

如果你错过了电影，不要丧气，你还有机会秀秀你的台球或是乒乓球。

阿拉丁之舞

在电影帷幕拉开之前，你可以欣赏到优美的芭蕾舞。

骗子乐队

在有声电影问世之前，强大的土著歌手提供背景音乐，风琴手们成为不受欢迎的明星，其中最著名的（最不受欢迎的）是诈骗犯雷金纳德三兄弟——狄克逊、福特和波特·布朗。

美妙舞场

朝着乐手拍拍你的脚趾，接着在舞场地板上跺跺脚。

谁陷害了兔子罗杰？

影迷们不必单调地只看场电影，在影院的墙壁上挂着许多精致的艺术品，可以细细品味喔！

贵族享受

电影院不仅提供快餐，他们还有美味的饭馆可以提供一餐四菜。

大冒险

动用你丰富的想象力畅游一下这部影片描述的各项设施吧。

当你和一群人去电影院时：

要知道你的确切座位。

不要堵在楼道里等着别人告诉你座号。

当你请一群人去看电影时：

要按照正确的顺序送他们入座。

不要先送女士入座，让陪同她们的先生四处寻找。

当陪你的妻子去看电影时：

要站在一边，让你的妻子先坐下。

不要让你的妻子坐在靠过道的位置。

如果从已就座的人前经过：

要面向银幕，身体尽可能贴近前排座椅。

不要拖拉任何东西，以防碰到已就座观众的脑袋——想象一下这种行为的可怕后果吧，这有可能弄乱你面前的女士装扮漂亮的秀发。

如果你强行从人前经过，对方起立让你过去时：

要使用正确的礼貌用语，像“谢谢”、“非常感谢”或者是“很抱歉”。

不要用当前通用的“打扰”，这是简缩用语，在文明社会从不使用的文明用语。

当开始观看电影时：

要精力集中，保持安静。

不要毫不顾忌，或是非常无礼地大声读字幕。

绝妙的小花招大观

幸运的是，这些可笑的规则并没有阻止影迷们对电影的迷恋，但是在20世纪50年代，发明了一种治愈电影痴狂症的良药。该药就是电视，这剂良药可以每晚长期服用。事情看上去糟糕极了，并不只是因为早期电视可怜的接收效果。电影院老板很快决定回击。为了击败这种“卧室里的小怪物”，影院老板构想出一些非常认真的绝妙花招。下面列出的你认为哪些是曾经实施过的？

梦幻般的香气——影片放映时，用塑料管道把香气输入影院。

现场伴奏音乐——在放映一些镜头时增强音响，制造一种隆隆的震动效果。

嗅觉卡——发放给观众一张可以刮开闻香气的卡，附有何时刮开覆盖层的说明。

水上观映——座位下面安置了一种特殊的储水箱，可以注水。

骷髅体验——一个通电骷髅悬浮在观众的脑袋上方。

3-D幻象——发放给观众3－D眼镜，戴上它们看的电影就会有三维效果。

震动影院——座椅上安置了滑轮，在观看电影的时候可以适当摇动。

恐怖景象——影院给所有的观众都入了保险，以防观众在看电影时惊恐而亡。

电击效果——座椅上都通了电线，在影片的一些特殊时刻可以发出一次温和的电击。

幻觉效果——赠送观众一副特殊的滤光眼镜，戴上它们就可以在银幕上看到妖魔鬼怪，这些都是肉眼看不到的。

骇人喇叭——响起喇叭声，是在警告观众很快将出现恐怖画面。

双重视像——电影完全是以分开的银幕格式放映的。

凶杀时刻——电影高潮时会暂停60秒，让观众缓一口气。

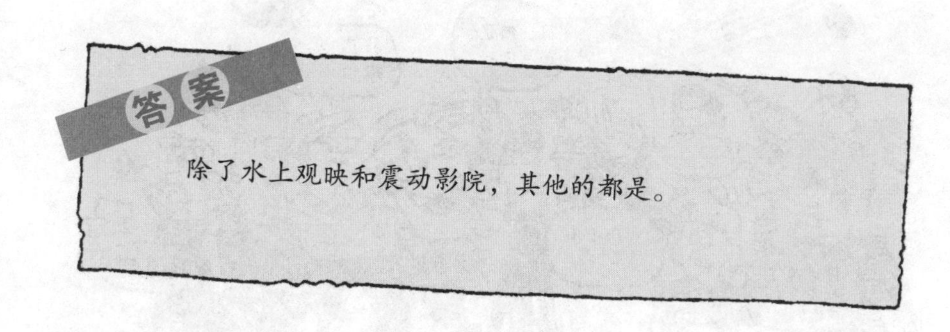

除了水上观映和震动影院，其他的都是。

尾声

幸运的是，影迷们设法活过了20世纪50年代的电影花招，更为幸运的是，活过了电视的发明。

100多年里，影片对人类产生了非常特殊的作用。它们曾经牵着人们的鼻子走，甚至还毁掉过一些人的生命。但每天都有成千上万的影迷沉浸在电影的欢乐里。

当然，关于电影最妙的事情莫过于影片还在不断拍摄出来，随着更多影片问世和更多影迷迷恋电影，电影世界会日益庞大，更加美妙。

如果这本书有助于你进入电影界，以后的事谁知道呢，说不定有一天你会成为一个了不起的电影制作者呢。如果确实这样，它将保证我们会有个好莱坞式的大团圆结局。

结束